Que la
FORCE
D'ATTRACTION
soit avec toi

Les Éditions Transcontinental
1100, boul. René-Lévesque Ouest, 24e étage
Montréal (Québec) H3B 4X9
Téléphone : 514 392-9000 ou 1 800 361-5479
www.livres.transcontinental.ca

Données de catalogage avant publication (Canada)
Cyr, Michèle
Que la force d'attraction soit avec toi
Comprend des réf. bibliogr.
ISBN 978-2-89472-313-5

1. Réalisation de soi. 2. Bonheur. 3. Attraction interpersonnelle. 4. Créativité.
I. Titre. II. Titre: Que la force d'attraction soit avec toi.

BF637.S4C97 2007   158.1   C2007-940123-6

Révision: Valérie Quintal
Correction: Lyne Roy
Photo de l'auteure: Denis Bernier
Mise en pages et conception graphique de la couverture: Studio Andrée Robillard
Impression: Transcontinental Gagné

Imprimé au Canada
© Les Éditions Transcontinental, 2007
Dépôt légal – Bibliothèque et Archives nationales du Québec, 1er trimestre 2007
2e impression, avril 2007
Bibliothèque et Archives Canada

Nous reconnaissons, pour nos activités d'édition, l'aide financière du gouvernement du Canada par l'entremise du Programme d'aide au développement de l'industrie de l'édition (PADIÉ). Nous remercions également la SODEC de son appui financier (programmes Aide à l'édition et Aide à la promotion).

Pour connaître nos autres titres, consultez le **www.livres.transcontinental.ca**. Pour bénéficier de nos tarifs spéciaux s'appliquant aux bibliothèques d'entreprise ou aux achats en gros, informez-vous au **1 866 800-2500**.

Michèle Cyr

Que la **FORCE D'ATTRACTION** soit avec toi

Les Éditions
Transcontinental

À vous, lecteurs,
pour votre courage d'oser l'inconnu

Remerciements

Écrire un livre est toute une aventure. Heureusement, j'ai eu le bonheur d'être accompagnée dans ce processus par de merveilleuses personnes. Je souhaite leur rendre hommage.

Mon amie Nicole Gratton, auteure de 14 ouvrages, qui me répète depuis des années que je dois écrire. Merci, Nicole, de m'avoir encouragée à me lancer dans cette aventure et, surtout, de m'avoir soutenue pendant mes moments d'angoisse.

Mon éditeur, Jean Paré, qui a dit oui à mon projet. Jean, merci pour ton audace et tes commentaires. Ils m'ont permis de trouver ma « voix » comme auteure.

Ma réviseure, Valérie Quintal, qui a fait un magnifique travail. Valérie, vous avez su améliorer mes propos tout en préservant l'essence de mon message et mon style personnel. Merci !

L'équipe des Éditions Transcontinental, dont Marie-Suzanne Menier, Nathalie Ferraris et tous ceux que je n'ai pas eu le plaisir de connaître, qui ont participé à la création de ce livre. Merci pour votre contribution ainsi que pour votre ouverture à mes commentaires. J'ai beaucoup apprécié votre collaboration.

Ma sœur Dominique Cyr, qui a consacré de précieuses heures à éplucher mon manuscrit. Do, merci. Tes commentaires ont élevé mon livre.

Ma sœur Joanne Cyr et ma nièce Laurence Rivard, qui ont relu mon manuscrit. Merci pour votre feedback.

Mon ami Mark Kelly, qui m'a soutenue et encouragée pendant toute cette aventure. Merci, Mark !

Ma famille et mes amis, qui m'ont appuyée dans cette démarche. Un gros merci à vous tous.

Finalement, les participants à mes conférences et à mes ateliers, qui ont partagé avec moi les succès qu'ils ont connus grâce à la force d'attraction. Vous avez enrichi cet ouvrage. Même si votre anonymat a été préservé, vous êtes avec moi dans ce livre. Merci pour votre générosité.

Table des matières

Pourquoi ce livre 15

Mon désir 17

La puissance créatrice 21

L'enjeu 24

L'investissement 28

Le pouvoir d'attraction 31

Le fonctionnement du pouvoir d'attraction 32

La liberté de choix 36

Le processus de création en 5 étapes 37

Les conditions nécessaires pour amplifier
son pouvoir d'attraction 39

ÉTAPE 1
Déterminer le désir du cœur 45

Le bilan de vie 46

La tête au service du cœur 53

Un désir réalisable 60

Le désir élargi 64

ÉTAPE 2
Éliminer les blocages 67

Blocage 1: ce qu'on ne veut pas 68

Blocage 2 : les croyances, les peurs, les préjugés 74

Blocage 3 : les émotions négatives 80

ÉTAPE 3
Se centrer sur son désir 91

La fréquence vibratoire du désir 94

Les pensées à cultiver pour émettre
la vibration du désir 95

D'autres outils pour se centrer sur son désir 99

ÉTAPE 4
Suivre ses intuitions et la synchronicité 107

L'intuition 108

La synchronicité 121

ÉTAPE 5
Accéder au désir 127

Dire oui à la vie 128

La gratitude 129

Pour aller plus loin 133

L'intention, un pouvoir inexploité 133

Votre intention de vie 136

Le mot de la fin 141

Références 143

« *Les pensées créent la destinée.*

Vous pensez, et vos pensées se matérialisent sous forme d'événements ; c'est ainsi que, le plus souvent à votre insu, vous tissez vous-même la trame de votre destinée par la manière dont vous vous laissez aller à penser continuellement, jour après jour.

Votre destinée est entre vos mains. Nul autre que vous-même ne peut vous opprimer. Nul autre que vous-même ne peut vous imposer de limites ou vous susciter des difficultés. Ni parents, ni voisins, ni employeurs, ni pauvreté, ni ignorance, ni aucun pouvoir ne peut vous priver de ce qui vous appartient légitimement dès que vous avez appris à penser.

La science de la vie est la science de la pensée. »

Emmet Fox,
Évidences : les lois de la vie et leur application

Pourquoi ce livre

**Parce que vous ne réalisez pas à quel point
vous êtes puissant !**

Il y a plus d'une dizaine d'années, j'ai entrepris ce que j'appelle une quête. J'étais alors présidente d'une entreprise. Je menais la même vie que bien des gens : métro, boulot, dodo. J'avais réalisé mon rêve de devenir présidente avant l'âge de 40 ans. J'étais respectée dans le milieu des affaires. J'avais du « succès ».

Pourtant, je ressentais un vide. J'avais l'impression que ma vie n'avait pas de sens. Je me demandais : « Pourquoi tout cela ? À quoi sert ma vie ? À quoi je sers, moi ? » Je me disais qu'il devait y avoir plus à retirer de la vie que ce que j'en retirais. Aux yeux des autres cependant, j'avais tout pour être heureuse.

Je ne m'étais jamais vraiment posé ces questions auparavant. Je faisais ce que mon éducation m'avait appris à faire. Je « performais ». Je « réussissais ». En plus, ça fonctionnait. J'étais bonne ! Je jouissais de l'approbation et de l'estime des gens. Comme bien d'autres personnes, je me disais que je serais plus heureuse lorsque j'aurais obtenu ou accompli ceci ou cela.

Dans les faits, je possédais beaucoup de choses (argent, maison, gros boulot, pouvoir, etc.), mais pas la plénitude intérieure à laquelle j'aspirais. J'ai alors décidé de découvrir d'où venait ce vide.

J'ai entrepris une exploration pour découvrir le sens de la vie, en espérant trouver en même temps le sens de la mienne. Je me suis questionnée, j'ai lu, j'ai fait un travail sur moi-même, j'ai étudié « les mystères de la vie ».

Cette quête, c'est la quête du bonheur. Si vous y pensez un peu, tout ce que vous faites, tout ce que vous entreprenez, c'est toujours dans l'espérance d'être heureux. Toujours. Nous oublions souvent que notre « état d'être » naturel, c'est le bien-être.

J'ai pris une année sabbatique. J'ai quitté le monde du travail pour trouver la réponse à la question suivante : « Qui est Michèle Cyr, sans les vêtements griffés ni le titre ronflant ? » Je voulais découvrir ce qui m'animait profondément, ce qui m'apporterait de la satisfaction, du bonheur.

À la suite de cette exploration, j'ai constaté que j'ai besoin de contribuer de façon concrète et directe au bien-être des gens. Je désire faire une différence dans leur vie. Je souhaite entre autres qu'ils réalisent quels êtres extraordinaires ils sont vraiment.

Ma recherche m'a amenée à découvrir des choses extraordinaires sur l'être humain, donc sur moi. J'ai compris la grandeur de notre potentiel et de notre puissance créatrice.

J'ai décidé de réorienter ma carrière pour mettre au service des autres ce que j'avais appris. J'utilise mon expérience des affaires tout en intégrant l'aspect humain, qui me tient vraiment à cœur. J'ai suivi une formation en coaching qui me permet d'accompagner efficacement les gens dans la réalisation de ce qui est important pour eux.

Mon intention comme coach est d'inspirer les hommes et les femmes à vivre en exploitant toute leur puissance et en étant en harmonie avec eux-mêmes.

Mon désir

À la suite de mon exploration, j'ai acquis une foi énorme en moi, en mes ressources intérieures, en ma capacité de créer ma vie à nouveau, à partir de rien. Peu importe ce qui se passe dans mon existence, je sais, sans le moindre doute, que tout peut être changé à partir d'aujourd'hui si je le décide.

C'est de cette puissance créatrice que je souhaite vous parler. Je désire partager avec vous ce que j'ai découvert pour que vous acquériez vous aussi cette foi en vous et que vous créiez une vie qui vous apportera du bonheur.

Avec ce livre, mon intention est de vous inciter à vivre à la mesure de votre potentiel **en utilisant votre puissance créatrice.**

Je suis souvent déconcertée de constater que les gens se contentent d'une « petite vie », alors qu'ils ont tout ce dont ils ont besoin pour connaître une « grande vie ». Quand je dis grande vie, je ne parle pas de devenir millionnaire. Remarquez, si c'est cela que vous désirez, allez-y, c'est parfait.

Pour moi, les termes «grande vie» renvoient à une **existence qui reflète la personne que vous êtes,** au summum de ce que vous êtes capable de créer. Une vie à la mesure de votre potentiel.

Dans ces pages, vous apprendrez comment utiliser les forces mises à votre disposition pour connaître cette **grande vie.** Une vie qui vous rendra heureux, qui sera à la mesure de votre grandeur. Vous êtes grand. Sachez-le.

Je vais vous faire découvrir une force très puissante, la **force d'attraction.** Lorsque vous aurez compris son fonctionnement, vous verrez qu'elle est facile à utiliser.

Quand j'ai lu des ouvrages portant sur les principes de cette force, j'ai eu un moment d'extase. J'ai crié WOW! J'ai immédiatement compris que j'avais le pouvoir de créer ce que je voulais dans ma vie. J'ai mis ces principes en application et j'ai obtenu des résultats immédiats.

Quand j'ai commencé à en faire l'expérience, je n'arrivais pas à y croire. C'était à tomber par terre. J'ai trouvé cela tellement puissant que je me suis dit : «Il faut que je partage cette information, c'est trop extraordinaire.» Je voulais que tout le monde comprenne comment fonctionne la force d'attraction. Surtout, je désirais que tous les gens sachent à quel point ils sont puissants.

À ce moment-là, je montais ma pratique de coaching. Malgré toutes mes tentatives de développement, je n'arrivais pas à conclure des ententes. Rien de ce que j'entreprenais ne fonctionnait. En lisant sur le principe de l'attraction, j'ai compris pourquoi. J'ai tout de suite mis en application les concepts que je venais de découvrir. Résultat : j'ai eu des clients au cours des semaines qui ont suivi. Vous allez découvrir comment cela s'est passé au fil des pages de ce livre.

Après les ateliers que j'ai donnés sur le sujet, les participants me disaient, en me regardant avec des yeux tout ronds : «Mais ça marche !» Moi, je leur répondais, ravie : «Oui, ça marche. C'est génial, n'est-ce pas ? »

Mon plus grand souhait, c'est de vous **inciter à passer à l'action.** Oui, à l'action. Vous êtes peut-être comme moi. Je lis un ouvrage de développement personnel – en fait, j'en lis des tonnes. Je trouve cela intéressant. Je m'enthousiasme. Je prends des résolutions. Puis, souvent, je remets les bouquins sur l'étagère et je reprends le cours de ma vie sans mettre en application les concepts qu'on y enseigne.

Ma vie a changé parce que j'ai appliqué les principes de la force d'attraction. La même chose peut vous arriver à vous aussi. Je souhaite que ce livre ait cet effet sur vous.

À partir de mon expérience personnelle, de mes lectures, d'ateliers et de conférences que j'ai donnés sur la force d'attraction, j'ai mis au point cinq étapes simples pour appliquer concrètement cette force dans votre vie. Il y a des principes à connaître et des outils précis à utiliser. Certains de ceux qui sont proposés ici proviennent d'autres auteurs. Je les ai testés, et ils fonctionnent.

Pour présenter les principes de la force d'attraction, j'ai emprunté à Esther et Jerry Hicks leurs descriptions et leur vocabulaire. Ceux-ci m'apparaissent comme étant les plus efficaces. Merci à ces deux auteurs pour leur contribution à la compréhension de la force d'attraction.

Je vous offre ce que j'ai recueilli de mieux parmi les choses que j'ai expérimentées et créées à partir de ma propre exploration. Je vous présente ces informations de façon concise et très pratique. Vous serez guidé, étape par étape, à la découverte de ces concepts. Des réflexions et des exercices vous sont proposés pour les mettre en application dès maintenant.

Passez à l'action !

Faites les réflexions et les exercices que je vous propose.

C'est de votre vie qu'on parle ici.

Vous n'avez pas idée de tout ce que vous pouvez créer.

Ne passez pas à côté de votre vie. Elle vous attend.
Elle est là, juste à côté, elle attend votre signal.

Je vous demande de faire un petit acte de foi. Je vous demande **de croire tout de suite en quelque chose que vous ne voyez pas.** De croire en vous, en votre potentiel et en votre puissance créatrice. L'humain est beaucoup plus puissant qu'il ne le sait ou n'ose même le penser.

Découvrez dès aujourd'hui le sentiment de puissance incomparable que procure le fait de savoir que vous avez à votre disposition, **en vous,** tout ce qu'il faut pour vous créer une vie à la mesure de vos aspirations.

Vous n'avez qu'à le décider, maintenant. Allez, je vous attends. Décidez-le. Tout de suite !

Avant de poursuivre, voici une petite suggestion. Je vais vous inciter à réfléchir, à expérimenter des outils, etc. Je vous recommande donc de vous munir d'un carnet. Vous pourrez y inscrire vos réflexions, y faire les exercices proposés, y noter les changements qui surviennent dans votre vie, y écrire vos intuitions et les « coïncidences » qui se produiront autour de vous. En fait, vous pourrez vous en servir comme d'un journal de bord, car, au fond, c'est une exploration que vous entreprenez.

Je vous souhaite beaucoup de plaisir et de belles découvertes pendant cette expérimentation. Croyez-moi, vous êtes au début d'une aventure passionnante : la création d'une vie qui va vous faire triper !

La puissance créatrice

« *Seul l'être humain est capable de transformer ses pensées en réalité ; seul l'être humain est capable de rêver et de réaliser ses rêves.* »

Napoleon Hill,
auteur américain, 1883-1970

● ● ●   Mark est propriétaire d'une petite entreprise de nettoyage de conduits d'air et d'aération de champs d'épuration. Un beau matin, il se dit : « Avec la température annoncée cette semaine, ce serait parfait si je pouvais avoir des contrats de nettoyage de conduits d'air. » Quelques heures plus tard, le téléphone sonne, et son agenda se remplit justement de travaux de ce type.

● ● ●   Lucie a un horaire chargé cette semaine. Mercredi matin, elle se lève. Elle n'est pas très en forme. Elle se dit : « Ce serait bien si j'avais un peu de temps libre aujourd'hui. Je pourrais reprendre le dessus. » Elle ouvre son ordinateur et trouve le courriel d'un client qui lui demande de remettre un rendez-vous. Super !

● ● ●   Paule ressent le désir de donner des formations en entreprise. Elle l'inscrit dans son journal. Deux jours plus tard, un
collège l'appelle pour lui demander de se joindre à son
équipe de formateurs. Youpi !

Ces gens-là manifestent ce qu'ils veulent et ils l'obtiennent. Pourquoi ?
Comment ? Que savent-ils que vous ne savez pas ? Que font-ils que
vous ne faites pas ?

1. *Ils savent ce qu'ils veulent.* Ce n'est pas le cas de tout le monde.
   J'observe, dans ma pratique de coaching, que beaucoup de gens
   savent **ce qu'ils ne veulent pas** mais n'ont pas d'idée précise de ce
   qu'ils veulent. Il est difficile d'obtenir ce qu'on désire si on ignore ce
   que c'est. Cela ressemble à un voyage qu'on entreprend sans avoir
   de destination en tête. On ne sait pas trop où on va aboutir ni combien de temps cela va nous prendre pour y arriver. C'est la même
   chose dans la vie, à la différence qu'il n'est pas toujours facile de
   savoir ce qu'on veut **vraiment.**

2. *Une fois qu'ils savent ce qu'ils veulent, ils le demandent et ils le
   reçoivent.* On dit souvent : « Demandez et vous recevrez. » Qui ose
   le faire ? Et qui y croit vraiment ? Les gens qui savent demander ont
   une caractéristique commune et essentielle : ils n'ont **aucun doute
   dans leur esprit qu'ils vont obtenir ce qu'ils désirent.** Ils demandent, puis ils attendent de recevoir en toute quiétude et confiance.

3. *Ces gens se laissent guider par leur intuition pour déterminer quelles
   seront leurs prochaines actions.* Ils connaissent le fonctionnement de
   leur processus intuitif. Ils savent décoder les informations intuitives
   qui leur indiquent comment atteindre leur destination. Ils les utilisent
   pour agir.

4. *Ils accueillent avec ouverture les «coïncidences» qui surviennent dans leur vie.* Ils mettent à profit ce que j'appelle ces «petits miracles» pour avancer vers ce qu'ils désirent. Ils sont toujours à l'affût de ce qui va se présenter à eux. Ils sont enthousiastes et curieux. Ils anticipent avec joie de découvrir comment la vie ou l'univers[*] va leur envoyer ce qu'ils désirent. Certains disent d'eux qu'ils sont opportunistes. Peut-être, mais avant tout, ils savent reconnaître le potentiel qui se cache derrière les événements qui surviennent. Une rencontre anodine devient une occasion déterminante de mettre sur pied l'entreprise qu'ils souhaitent créer. Un livre trouvé par hasard devient une source d'inspiration pour le projet qu'ils ont mis en marche. Tout leur sert à se rapprocher de leur but.

5. *Ils s'attendent à avoir une vie pleine et heureuse.* Ils savent qu'ils le méritent. Ils sont remplis de gratitude. Ils célèbrent leurs réussites. **Ils disent oui à la vie!**

Vous aussi, vous pouvez avoir **tout** ce que vous voulez! **TOUT!** En suivant le même processus et en adoptant les mêmes habitudes que ces gens, vous pouvez créer votre vie idéale.

C'est à votre tour de comprendre et d'expérimenter cette puissance créatrice. Si vous avez choisi ce livre, je me permets de supposer que vous désirez améliorer votre vie, que vous êtes ouvert et que vous êtes prêt. Alors, allons-y!

---

[*] Je ferai souvent référence au terme «univers». Je lui attribue le sens suivant: l'univers est l'ensemble de tout ce qui existe, de tout ce qui est matière et énergie. Aucune connotation religieuse n'est rattachée à ce mot.

L'enjeu

L'enjeu est énorme : une vie heureuse et remplie d'abondance, rien de moins !

Une vie à votre mesure, à la mesure de votre potentiel.

Une vie qui respecte votre rythme et votre façon de faire, indépendamment de ce que peut en penser votre entourage.

Une vie où vous réalisez ce dont vous rêvez depuis des années.

Une vie qui vous passionne, qui vous inspire et qui inspire les gens qui vous entourent.

Engagez-vous à fond dans cette exploration. Votre vie ne sera plus jamais la même. C'est une promesse. Vous ne verrez plus jamais les choses de la même manière quand vous connaîtrez votre puissance créatrice.

Vous réaliserez que vous avez le potentiel de connaître une « grande vie », à la mesure de la personne que vous êtes vraiment, et de créer tout ce que vous désirez dans votre existence. Tout. Absolument tout.

● ● ●   Diane est travailleuse autonome. Elle s'offre régulièrement des périodes d'arrêt pour se livrer à ses multiples passions. Lorsqu'elle décide de reprendre ses activités professionnelles, elle se dit : « Bon, je suis prête pour un contrat. » Le lundi suivant, sans faute, le téléphone sonne : on lui offre un contrat. Chaque fois. Diane est particulièrement douée pour obtenir du travail quand elle le désire. Ce qui l'aide, c'est qu'elle y croit. Il n'y a pas de doute dans son esprit.

Je sais que cela peut sembler inaccessible, mais croyez-moi, c'est possible. J'en fais l'expérience depuis plusieurs années. Quand je respecte les principes proposés dans ce livre, ma vie est époustouflante. Je connais la facilité, la fluidité, la joie et l'abondance. Oui, la joie, le bonheur, ce à quoi on aspire tous.

Je vous parlerai fréquemment de la facilité, de la fluidité, de la joie et de l'abondance. C'est ma marotte. Je suis comme un vieux 33 tours qui reste accroché ! Vous venez d'avoir une idée de mon âge... Eh oui, j'ai 50 ans et je suis heureuse comme jamais auparavant.

Je vous donne quelques exemples concrets de ce que j'ai vécu après avoir mis ces principes en application.

- J'ai démarré une pratique de coaching, de consultation et de formation en gestion sans procéder à tout le « réseautage » – que j'apprécie moins –, et cela, contrairement à ce que chacun me recommandait.

- Ma famille et mes amis me disaient de « sortir pour rencontrer ». Moi, je n'arrêtais pas de leur répondre que mon homme sonnerait à ma porte. J'y croyais mordicus. C'est arrivé, comme je le pensais. J'ai rencontré un nouvel amoureux qui a sonné à ma porte et avec qui j'ai eu une relation pendant un an.

- Juste au bon moment, j'ai connu Marc, qui m'a mise en contact avec Martine pour faire avancer mon projet.

- Je génère les revenus dont j'ai besoin au moment opportun. C'est ce qui s'est produit cet été, alors qu'il me fallait des sous pour refaire mon terrain.

- Quand j'ai besoin de temps, mon agenda se réorganise sans que je fasse quoi que ce soit d'autre que « m'aligner » intérieurement.

- Je décide de donner des conférences, et pouf! cinq jours plus tard, je suis invitée à un colloque en tant que conférencière.

- Quand je termine un mandat avec un client, un autre se pointe à l'horizon sans que je fasse de publicité, simplement grâce au bouche à oreille. Facilité, fluidité et abondance…

Quand j'arrête de suivre ces principes, ma vie stagne, et cela, en l'espace de quelques jours seulement.

À vous d'en faire l'expérience! Essayer la force d'attraction, c'est l'adopter. C'est garanti. Quand vous l'aurez maîtrisée, vous ne pourrez plus jamais vous en passer, c'est trop bon.

Quand on vit ainsi, on se sent **serein, calme, guidé, aimé, soutenu** et surtout, en **sécurité.**

La réduction de stress est garantie. Vos épaules descendent de sept centimètres. Vous recommencez à respirer. Vous savez que vous êtes soutenu dans votre démarche. Vous êtes calme. Vous êtes en sécurité. Vous le savez et vous le sentez.

Qu'il s'agisse d'un boulot, d'une relation ou d'argent, vous avez le pouvoir de créer ce que vous voulez. C'est vous qui décidez. Tout ce que vous avez dans votre vie présentement, vous l'avez créé. Absolument tout.

Vous êtes le maître à bord, mais dans cette aventure, vous n'êtes pas seul : vous bénéficiez du support constant des forces de l'univers. En revanche, **vous êtes le seul chef d'expédition de votre vie.** Vous décidez et vous maîtrisez complètement ce que vous créez.

Ce concept de responsabilité complète est un peu inquiétant au début, surtout quand on n'aime pas trop sa vie. Pourtant, si vous avez eu le pouvoir de créer ce qui vous arrive présentement, vous avez aussi le **pouvoir de le changer.**

Personnellement, j'adore ce degré de responsabilité. Je sais que je peux, grâce à la force de ma pensée, modifier ce que j'ai créé. C'est cette puissance d'attraction de la pensée que nous allons explorer ici. Il s'agit d'un concept auquel je crois et que j'accepte, car il me donne du pouvoir, celui de créer ma vie. Et ça marche. Je l'ai fait, et bien d'autres personnes l'ont fait aussi. Vous le constaterez en lisant les multiples exemples présentés dans cet ouvrage.

Dès que vous commencerez à mettre en pratique les principes proposés, vous saurez, vous aussi, que vous pouvez attirer à vous tout ce dont vous avez besoin pour réaliser vos désirs. Vous attirerez les gens et les circonstances nécessaires pour vous rapprocher de votre destination.

Votre vie sera plus facile, plus fluide et, surtout, plus efficace, comme si quelqu'un se chargeait d'orchestrer le grand scénario de votre existence. Grâce à la puissance d'attraction de vos pensées, tout se mettra en place pour permettre aux événements de se présenter au bon moment. C'est très efficace. Vous pourrez accéder à tout ce qui vous est offert rapidement, sans détour.

Vous vous ouvrirez aux « petits miracles » de votre vie. Vous porterez des lunettes dont l'angle de vision est élargi. Vous verrez plus clair et distinguerez des choses que vous n'aperceviez pas auparavant. Vous chercherez à découvrir les surprises que la vie vous réserve.

Vous oserez demander et vous recevrez.

L'investissement

Vous constaterez vite que l'effort à fournir est minime si on le compare à ce qu'il peut vous rapporter.

Il faut d'abord vous familiariser avec les concepts. C'est assez facile : le processus en cinq étapes est simple, accessible et pratique.

Puis, il vous faudra vous exercer, encore et encore. Ça, c'est la partie plus exigeante. Elle demande de la discipline. En même temps, c'est la force de cet **engagement** qui fera bientôt la différence entre **une grande vie** et une petite vie.

Qui a envie d'une petite vie ? Levez la main.

Bon, je le savais bien : personne. Vous êtes tous comme moi. Vous voulez une **grande vie.** Parce que vous y avez droit et que c'est possible. C'est fini, l'époque du « on est né pour un petit pain » !

Comme moi, dites oui à une vie facile, fluide, joyeuse et abondante, à la mesure de votre potentiel et de votre puissance créatrice. L'homme commence à peine à comprendre son pouvoir. Soyez de ceux qui savent le reconnaître et l'utiliser pour créer leur vie. C'est la proposition que je vous fais.

Je vous invite maintenant à faire quelques réflexions. Utilisez votre journal pour les noter.

QUESTIONS DE COACH

• Qu'aimeriez-vous créer dans votre vie? Notez trois de vos désirs les plus profonds.

• Croyez-vous être en mesure de réaliser ces désirs? Oui ou non? Pour quelles raisons?

• Êtes-vous prêt à essayer? Oui ou non?

    – Si la réponse est positive, merveilleux. Allez tout de suite au chapitre suivant.

    – Si la réponse est négative, posez-vous la question suivante: Quelles seraient, pour vous, les conséquences de mourir sans avoir comblé ces désirs? (Je sais, c'est un peu raide, mais il faut parfois pousser le raisonnement jusqu'au bout!) Êtes-vous prêt à supporter ces conséquences? Oui ou non? Pourquoi?

J'ose espérer que vous avez dit oui à vos rêves. Sinon, pensez-y de nouveau. C'est important.

Vous avez la capacité, maintenant, d'attirer à vous ce que vous souhaitez.

Le grand moment est arrivé. Explorons votre pouvoir d'attraction.

Le pouvoir d'attraction

« *Vous êtes aujourd'hui là où vos pensées vous ont mené ;
vous serez demain là où vos pensées vous entraîneront.* »

**James Allen,
auteur américain, 1864-1912**

● ● ● Nicole désire créer de l'abondance financière dans sa vie. Elle le décide. La semaine suivante, elle reçoit une rétroaction salariale, elle découvre un chèque de compte de dépenses qu'elle avait oublié et elle reçoit un montant auquel elle ne s'attendait plus de son ex-conjoint.

● ● ● C'est le *deadline* sur le plan des ventes. Pourtant, Josée est à 10 % d'atteindre son objectif… et elle décide qu'elle va y parvenir. Elle consacre son attention de façon constante et positive à imaginer que les ventes qu'il lui faut seront conclues d'ici la fin de la journée. Le téléphone sonne. Les choses se mettent en place. Quand la journée se termine, elle a atteint son but.

Que se passe-t-il ? Pourquoi ces personnes arrivent-elles à créer ce qu'elles désirent ? C'est ce que nous allons comprendre ensemble.

Le fonctionnement du pouvoir d'attraction

Le principe du pouvoir d'attraction se décrit simplement : **la pensée crée.**

1. Vous avez constamment des **pensées.**

2. Chacune de ces pensées suscite une **émotion.**

3. Cette émotion **vibre** et devient une **vibration.**

4. Cette vibration **émet un signal** dans l'univers, qui correspond à une **demande** de votre part. C'est votre commande ou demande à l'univers.

5. Votre signal **suscite un signal correspondant** de l'univers. Vous attirez à vous un signal identique au signal émis : c'est le concept d'attraction, **la réponse.**

En d'autres mots : tout ce qui se ressemble s'assemble ou, dans ce cas-ci, **s'attire.** (*Like attracts like.*)

Comme une image vaut mille mots, voici une autre façon de vous présenter le pouvoir d'attraction.

Vous êtes comme un aimant puissant.

**Avec vos pensées et vos émotions, vous attirez à vous
ce à quoi vous pensez et ce que vous ressentez.**

**Vos pensées et vos émotions sont l'aimant,
votre point d'attraction.**

Sous forme schématique :

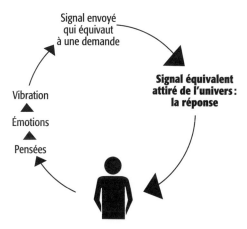

Bref, tout ce à quoi vous accordez votre attention (avec vos pensées) émet une vibration. Cette vibration crée une demande qui devient votre point d'attraction (l'aimant) à partir duquel l'univers vous renvoie ce que vous demandez (la réponse). C'est simple, clair et net !

Je pense, donc je ressens une émotion, donc j'émets une vibration, qui se transforme en signal. L'univers répond à ce signal par le même signal.

Avec votre pouvoir d'attraction, vous attirez à vous un signal correspondant à celui que vous avez envoyé.

À partir de vos pensées et de vos émotions, une vibration est émise, et un signal est transmis à l'univers. Votre force d'attraction suscite alors en réponse un signal correspondant. Il peut s'agir d'une personne, d'une offre d'emploi, d'un livre, d'un amoureux ou d'un refus, selon ce à quoi vous pensez.

Par exemple, je songe à donner des conférences. J'envoie ce signal à l'univers. J'attire en retour un signal identique, c'est-à-dire une invitation à participer à un colloque.

C'est ce que nous dit la Bible quand on y lit : **« Demandez et vous recevrez. »** C'est ainsi que cela se passe. Vous avez le pouvoir, avec vos pensées, de créer ce que vous désirez, **tout ce que vous désirez.**

● ● ●   Alors que je démarre ma pratique de coaching, je me dis :
« Ce serait bien d'avoir trois "cobayes" pour mettre au point les techniques que je viens d'apprendre. » Dans la semaine qui suit, je rencontre une copine. On jase. Je lui parle de ce que je fais. Elle se propose comme « cliente test ». Et de une !

Au cours de la deuxième semaine, je reçois un appel d'une jeune femme qui désire réorienter sa carrière. Elle veut connaître mon parcours professionnel. Je la rencontre, je lui parle de mon cheminement et je lui propose de devenir une « cliente test ». Bon, j'ai maintenant trouvé deux clientes sans avoir rien fait d'autre que préciser ce que je veux et être ouverte à ce qui se passe.

Vers la même époque, une amie thérapeute a dirigé vers moi une cliente qui démarrait une entreprise et avait besoin de coaching.

Et voilà ! Sans faire d'effort extraordinaire, j'ai trouvé trois clientes… en quelques semaines.

● ● ● En décembre, pendant qu'il prépare ses objectifs annuels, Paul décide qu'il aimerait faire partie d'un conseil d'administration. En janvier, il reçoit un appel d'un ami qui lui demande de siéger à un conseil très prestigieux. C'est au-delà de ses attentes !

● ● ● Jacinthe vient de mettre fin à une union de 25 ans. Elle souhaite vivre une belle histoire avec un homme créatif et aventureux. Elle précise ce qu'elle désire ; ce qu'elle veut est clair. Quelques semaines plus tard, un collaborateur l'invite à aller prendre un café. Elle vit une belle aventure avec lui pendant un an. Il est tel qu'elle l'avait imaginé.

● ● ● Au début de ma pratique, j'avais décidé de coacher seulement des femmes. Durant une de mes sessions de formation, une participante me mentionne que c'est dommage, car elle trouve que mon expérience pourrait vraiment bénéficier aux hommes. J'y réfléchis et j'en conclus : « Pourquoi pas ? » Alors, je me dis et j'écris : « J'ai besoin d'un homme cobaye. »

Le dimanche suivant, mon ami Louis vient faire un tour chez moi. On jase. Il me parle des défis qu'il doit relever en tant que gestionnaire. Je lui propose de devenir mon « client test » masculin. Il accepte. Et vlan ! J'obtiens ce que j'ai demandé, sans effort, après quelques jours à peine. Depuis cette expérience, ma pratique de coaching a pris une tournure différente. Je compte plus de clients que de clientes.

Êtes-vous assez curieux pour vouloir en savoir plus et expérimenter ce que je décris ci-dessus ? N'hésitez pas, lancez-vous !

La liberté de choix

Il y a des gens qui pensent toujours à des catastrophes. On les entend répéter : « Moi, je suis malchanceux. J'ai toujours de mauvaises expériences. » Puis, on observe cette personne et on se dit : « C'est vrai, elle est donc malchanceuse ! » La dure réalité, c'est que c'est souvent elle qui crée des événements malheureux à partir de ses pensées.

Prenons l'opposé. Il y a des gens qui se disent toujours chanceux. Ils y croient mordicus… et, de fait, des événements heureux se produisent sans cesse dans leur vie ! On les regarde, on les envie et on se dit : « Ils sont chanceux, ces gens-là ! » Cependant, on oublie une chose : leur chance, **ils la créent.**

Certaines personnes ont aussi une habileté naturelle à générer de l'abondance financière. On dit d'elles que tout ce qu'elles touchent se transforme en or. Ces personnes ont des pensées d'abondance. Pour elles, il ne peut en être autrement.

Vous avez une liberté totale de décider ce à quoi vous consacrez votre attention, vos pensées. Vous ne choisissez pas de vivre un événement douloureux, tel le décès d'un enfant, mais c'est vous qui déterminez la manière dont vous y réagissez ainsi que les pensées que vous entretenez à l'égard de cette expérience.

La liberté de choix est votre droit le plus fondamental. Vous seul décidez des pensées que vous aurez à l'égard d'un événement quelconque. Vous êtes libre. Personne ne vous forcera jamais à penser de telle ou telle façon. C'est ainsi que vous exercez votre liberté.

Vous seul décidez de vos pensées.

Tout cela demande de la discipline. Oui, maîtriser ses pensées après des années de « laisser-aller » exige un certain effort, mais le résultat vaut l'énergie que vous y aurez consacrée. Vous obtiendrez un excellent rendement sur votre investissement ! Certaines des techniques présentées à l'étape 2 vous aideront dans ce sens.

Le processus de création en 5 étapes

Dans les prochains chapitres, vous découvrirez comment cette force d'attraction fonctionne de façon pratique. Un processus en cinq étapes vous sera présenté. À chacune des étapes, vous aurez des exercices précis à faire pour avancer et réussir dans votre processus de création. En voici une brève description.

L'étape 1 – Déterminer le désir du cœur

À cette étape, vous déterminerez précisément ce que vous désirez. Vous définirez ce que vous ne voulez plus dans votre vie, ce que vous désirez conserver et ce que vous souhaitez ajouter pour jouir d'une vie à la mesure de votre potentiel et de vos rêves. À la fin de cette étape, vous saurez exactement ce que vous désirez. Vous aurez formulé **un énoncé de désir qui lancera le processus de création.**

L'étape 2 – Éliminer les blocages

Cette étape vous permettra de repérer ce qui peut nuire à la réalisation de vos aspirations, tels vos préjugés, vos croyances limitantes, vos peurs, vos émotions négatives. Vous dégagerez la voie pour permettre à vos désirs de devenir réalité. C'est l'étape du grand nettoyage de l'aimant, pour qu'il soit bien propre et qu'il attire exactement ce que vous souhaitez, sans aucun débris inutile. N'oubliez pas, vous êtes un aimant puissant !

L'étape 3 – Se centrer sur le désir

Cette étape cruciale du processus active la vibration de votre désir. C'est le début de l'envoi du signal à l'univers. Vous allez fortifier l'aimant en prétendant que votre désir est déjà réalité dans votre vie. Vous allez ressentir les émotions que vous éprouverez lorsque votre aspiration sera comblée, ce qui activera l'énergie du désir. Dès cette étape, vous commencerez à attirer des réponses qui aideront à la réalisation de votre désir.

L'étape 4 – Agir à partir des intuitions et de la synchronicité

Lorsque vous aurez activé la vibration de votre désir, vous commencerez à avoir des intuitions. Elles vous guideront vers les gestes à faire pour réaliser ce que vous souhaitez. À cette étape, vous orientez vos actions à partir de vos intuitions. Vous suivez les *feelings* que vous avez, même s'ils vous semblent complètement farfelus.

De plus, vous découvrirez les bienfaits de la synchronicité, qu'on appelle parfois coïncidences ou heureux hasards. Cette synchronicité fait partie de la réponse que vous attirez à vous après avoir formulé votre demande. Personnellement, j'aime parler de « petits miracles ». Vous les accueillerez et reconnaîtrez leur signification et leur utilité relativement à la réalisation de votre désir. Vous déciderez alors des gestes à faire.

Cette étape primordiale vous met en mouvement vers la concrétisation de votre aspiration.

L'étape 5 – Accéder au désir

À cette étape, vous accepterez de dire oui à la vie et d'entrer dans sa danse. Vous pratiquerez la gratitude, un must pour donner du pouvoir à vos pensées et amplifier votre force d'attraction.

C'est un cercle vertueux. Plus les événements que vous souhaitez se produisent, plus vous y croyez et plus vous avez de succès dans la poursuite de votre quête de bonheur. Au fil du temps, vous consacrerez de plus en plus d'énergie à préciser vos désirs, à les sentir et à maintenir des pensées qui leur correspondent pour attirer à vous ce dont vous avez besoin.

Cela équivaut au stade de planification que comporte tout projet. En affaires, c'est connu, il s'agit du stade le plus critique pour assurer le succès d'une entreprise. S'il est bien exécuté, on gagne énormément de temps. C'est la même chose pour le projet de votre vie.

Ce processus est simple et surtout très efficace.

Les conditions nécessaires pour amplifier son pouvoir d'attraction

Vous devez mettre en place certaines conditions ou adopter des attitudes intérieures pour obtenir le maximum de succès avec votre force d'attraction. Voyons de quoi il s'agit.

La confiance

Évidemment, vous devez avant tout y croire. Plus vous y croirez, plus vous aurez des pensées positives à propos de ce que vous souhaitez créer. Vous saurez, sans l'ombre d'un doute, que vous n'avez qu'à clarifier vos désirs, à activer la vibration à l'aide de vos pensées pour qu'un processus d'attraction se mette en branle. Vous serez à l'affût des intuitions, des « petits miracles ». Par le fait même, les vibrations que vous enverrez seront encore plus positives.

Vous serez dans un état d'enthousiasme et d'anticipation quasi constant, ce qui est très important pour activer ce processus. Quand j'ai un désir, je le formule, je demande qu'il se réalise et j'attends avec curiosité et ouverture. Je suis attentive à ce qui se passe autour de moi. Je veux être absolument certaine de ne rien manquer !

Pour augmenter votre confiance, je vous recommande de commencer par de petites choses. Par exemple, vous pouvez demander d'obtenir un rendez-vous aujourd'hui, de trouver la paire de chaussures idéale pour votre soirée de samedi, de recevoir l'appel que vous attendez ou d'avoir une place de stationnement parfaite.

Je suis une championne en ce qui concerne le stationnement. Quand je me dirige vers le centre-ville de Montréal, je me dis : « C'est le temps de commencer à libérer **ma** place de stationnement. » Il y en a toujours une qui m'attend. Parfois, je me gare à 10 places de l'endroit où je vais, puis j'arrive à la porte pour découvrir qu'il y en a une juste devant. C'est le *fun,* ça fonctionne !

C'est possible pour vous aussi. Je suis comme vous. J'ai testé la loi, j'ai eu des moments de doute (cela m'arrive encore), j'ai recommencé, j'ai persévéré, pour finalement obtenir des résultats positifs la majeure partie du temps.

Allez, demandez une petite chose et testez la loi. Pour vous donner une chance de réussir, dites-vous que cela va fonctionner. Ne vous posez pas de question. Exprimez votre désir et laissez aller. Ne doutez pas. Recherchez plutôt tout ce qui va confirmer la réalisation de votre souhait.

Par exemple, si le nom d'un magasin de chaussures vous passe par la tête, allez-y. Si vous sentez que vous devez rester à la maison un peu plus longtemps pour recevoir l'appel attendu, restez. Si vous avez l'impression que le moment est propice pour faire un suivi par rapport à un rendez-vous important, faites-le. Osez vous rendre juste devant la porte de l'endroit où doit avoir lieu votre rendez-vous pour obtenir la place parfaite de stationnement.

Il ne s'agit pas de tirer sur la fleur pour qu'elle pousse, mais plutôt de suivre les pulsions et les *feelings* qui vous viennent. Permettez-vous de faire quelques tests pour bien installer cette confiance. Le jeu (j'ai envie de dire : l'enjeu) en vaut la chandelle.

La présence

Une des habiletés indispensables pour augmenter votre puissance d'attraction, c'est d'être **présent à vous-même et à ce qui se passe autour de vous.** Qu'est-ce que cela veut dire ?

1. *Vous devez être conscient de vos pensées.* C'est fondamental. Si vous ne prêtez pas attention à ce qui occupe votre esprit, vous ne saurez pas ce que vous êtes en train de créer.

2. *Vous devez être conscient de vos émotions, de ce que vous ressentez.* Vos émotions vous indiqueront où vous en êtes dans votre processus de création. Si vous vous sentez bien, cela vous indiquera que vous attirez à vous ce que vous désirez. En revanche, si vous vous sentez mal, vous ne vous rapprochez pas de ce que vous voulez. Je vous en dirai plus long sur le sujet à l'étape 3 et je vous donnerai des trucs.

3. *Vous devez être sensible à ce qui se passe en vous.* Lorsque vous passerez votre « commande », vous aurez des intuitions. Pour les capter, vous devez être présent, être à l'écoute. C'est essentiel. À l'étape 4, j'en discuterai plus longuement.

4. *Vous devez être très attentif à ce qui se passe autour de vous*. Vous allez recevoir des cadeaux. Vous allez croiser une personne que vous connaissez et éprouver le besoin de lui parler de votre projet. Elle pensera à quelqu'un qui peut vous aider. Si vous courez dans la rue et que vous ne portez pas attention à cette personne, vous manquerez une belle occasion.

Vous aurez beaucoup de difficulté à créer une vie extraordinaire si vous vous mettez sur le pilote automatique. C'est un peu comme si Jacques Villeneuve attaquait la piste de course sur le *cruise control*, sans faire attention à ce qu'il ressent ou à ce qui se passe autour de lui.

La discipline

La discipline est indispensable. Si vous voulez maîtriser vos pensées, vous devez en être conscient. Être présent à vous-même et à ce qui vous entoure vous aidera à y parvenir, mais vous devez aller plus loin et réajuster vos pensées pour qu'elles correspondent à ce que vous désirez créer. J'appelle cela de la discipline.

Selon mon expérience, c'est cette dimension du processus qui rebute les gens. Ils trouvent cela trop compliqué et se remettent sur le pilote automatique. Je les comprends un peu : il est vrai qu'au début c'est exigeant.

On vit ce même phénomène quand on apprend à conduire une voiture. Au début, on doit penser à regarder dans le rétroviseur, à bien positionner les miroirs de côté, à faire ceci ou cela. Par la suite, on fait ces gestes de façon automatique. De la même façon, avec le temps, rectifier vos pensées va devenir un réflexe.

Une pratique qui vous aidera dans ce sens, c'est de faire un peu de méditation quelques minutes par jour afin de ralentir le flux constant de vos pensées. Je vous recommande une technique facile à l'étape 4.

Cela vaut vraiment la peine. Souvenez-vous, c'est de votre vie qu'on parle ici. Vous avez en vous la puissance nécessaire pour vous créer une existence extraordinaire, même si cela demande quelques efforts au début. Ne lâchez pas. Persévérez et vous serez heureux des résultats.

C'est l'un des meilleurs investissements de temps et d'énergie que vous aurez faits dans votre vie. Garanti !

Le mouvement

Un des éléments fondamentaux de ce processus, c'est de se mettre en action, d'avancer vers ce qu'on veut créer.

Le début de l'aventure est plutôt intérieur. Vous réfléchissez à ce que vous voulez créer, vous éliminez les blocages, vous activez l'énergie du désir. Vous prêtez aussi attention à vos pensées et vous vous assurez qu'elles vont dans le sens de vos aspirations.

Après ces premières étapes, le processus est plus extérieur. Vous commencez à agir. Vous restez à l'affût de vos intuitions et de la synchronicité, puis vous agissez. Vous ne le faites pas nécessairement tous les jours, mais si vous sentez qu'une action doit être accomplie, vous vous mettez en mouvement. Vous avancez, vous bougez. Courageusement.

Le gros danger est de tomber dans la pensée magique en vous imaginant que tout va se faire tout seul. Oui, votre pensée a beaucoup de puissance. Cependant, elle a besoin d'action pour amplifier sa force. Le mouvement vers l'avant est indispensable !

ON FAIT LE POINT

Votre pouvoir d'attraction vous permet d'attirer à vous tout ce que vous désirez en portant attention à vos pensées et à vos émotions.

Celles-ci émettent un signal indiquant à l'univers ce que vous désirez.

L'univers répond à votre signal en vous renvoyant des coïncidences (la synchronicité ou les « petits miracles »), des occasions, des gens, des intuitions, des inspirations.

Votre pensée crée.

Vous êtes un aimant puissant.

Pour créer ce que vous désirez, il suffit d'être attentif à ce que contient votre aimant.

Passons dès maintenant à la première étape, la définition de ce que vous désirez vraiment.

 Tout ce que vous accomplissez ou échouez à accomplir dans votre vie est le résultat direct de vos pensées. »

**James Allen,
auteur américain, 1864-1912**

Étape 1

Déterminer le désir du cœur

« L'amour et le désir sont les ailes qui permettent aux grandes réalisations de prendre leur envol. »

**Johann Wolfgang von Goethe,
poète allemand, 1749-1832**

L'ÉTAPE EN BREF

À ce moment-ci du processus, vous définirez précisément quelles sont vos aspirations véritables. Vous définirez ce que vous ne voulez plus dans votre vie, ce que vous voulez conserver et ce que vous souhaitez ajouter pour avoir une vie à la mesure de votre potentiel et de vos rêves. À la fin de cette étape, vous saurez exactement ce que vous désirez. Vous aurez formulé un énoncé de désir qui amorcera le processus de création.

Cette première étape ne comprend pas de grande théorie. Vous effectuerez plutôt une réflexion pour préciser ce que vous souhaitez créer dans votre vie et vous aider à déterminer quels sont vos désirs.

Le bilan de vie

Vous commencerez par évaluer ce que vous vivez actuellement. Je vous propose de faire l'inventaire de ce qui se passe dans votre quotidien en utilisant l'outil du bilan de vie que j'ai mis au point avec Anne Choquette, une collègue coach.

L'objectif de ce bilan (dont vous trouverez un modèle à la page suivante) est de brosser un tableau de votre état de vie actuel dans les secteurs du travail, de la situation financière, de la famille, de la vie affective et de la vie personnelle. Vous établirez ce qui est satisfaisant, ce qui ne l'est pas et ce que vous désirez ajouter.

Dresser ce bilan comporte de grands avantages :

1. En prenant conscience de ce que vous avez dans votre vie, vous éprouverez de la gratitude. Être reconnaissant pour ce qu'on a déjà est un des meilleurs moyens de connaître l'abondance. Votre aimant deviendra très puissant, car vous serez rempli de pensées et d'émotions positives.

   En faisant votre bilan, vous constaterez la richesse de votre vie actuelle. Même si certains secteurs sont plus problématiques, d'autres vous apportent beaucoup de satisfactions. C'est un exercice très puissant.

● BILAN DE VIE ●

	CE QUE JE VIS	CE QUE JE DÉSIRE
Travail		
Satisfactions		Peindre un peu
Insatisfactions		
Rêves/désirs		Show (Femmes d'eau)
Situation financière		
Satisfactions	confortablement	
Insatisfactions		
Rêves/désirs		En avoir plus pour donner
Famille		
Satisfactions	Très satisfaites	
Insatisfactions		
Rêves/désirs		Job + Santé pour Jon
Vie affective (amour, amitié, couple, sexualité)		
Satisfactions	Satisfaite	
Insatisfactions		
Rêves/désirs		Le Dan garder longtemps
Vie personnelle (spiritualité, santé, capacité de prendre soin de soi, loisirs)	Satisfaites	méditer plus
Satisfactions		
Insatisfactions		
Rêves/désirs		Bonne Santé Vitalité

2. Grâce à ce bilan, vous prendrez conscience de ce que vous ne voulez plus dans votre vie. Étant donné qu'il est plus facile de savoir ce qu'on ne veut pas que ce qu'on veut, vous déterminerez ce que vous désirez à partir de ce que vous ne voulez plus.

Voici les instructions à suivre pour dresser votre bilan de vie. C'est le moment idéal d'utiliser votre journal de bord afin d'y reproduire le tableau.

Au premier abord, l'exercice peut sembler long, mais il ne l'est pas tant que ça. Selon mon expérience, il vous faudra entre 45 et 60 minutes pour dresser votre bilan. Vous avouerez que cela représente un investissement de temps minime pour changer une vie! Si vous avez pris la peine d'acheter ce bouquin, c'est peut-être que votre intuition vous soufflait de le faire et que vous êtes rendu à un point où vous avez envie de prendre le temps de réfléchir à ce qui compte pour vous. Pour vous aider, j'ai inclus un exemple de la manière d'évaluer un secteur de votre vie (voir Exercice de coach à la page 52).

Un, deux, trois, go!

Je partage avec vous deux sentiments que j'ai éprouvés en refaisant l'exercice :

1. Je me suis sentie maître de ce qui va bien dans ma vie. J'ai pu constater qu'elle compte beaucoup d'aspects positifs, par rapport auxquels je me sens bien, contente et paisible.

2. J'ai noté quelques secteurs qui ont besoin d'améliorations. J'ai pu mettre des mots plus précis sur ce qui n'allait pas. Cela m'a permis de nommer ce que je désire. Mon sentiment de maîtrise, de puissance et de bonheur est plus grand qu'avant l'exercice.

Je sais maintenant ce que je veux conserver dans ma vie, ce que je veux faire grandir et ce que je veux créer. Je considère cela comme le début de quelque chose de nouveau. C'est bon et rassurant.

À votre tour d'en faire l'expérience. Je vous explique comment remplir le bilan de vie.

« Ce que je vis »

Pour chacun des secteurs, notez ce que vous vivez **maintenant.** Établissez une distinction entre ce qui vous procure de la satisfaction et ce qui, au contraire, vous semble insatisfaisant. Vous cherchez à faire le point, à savoir où vous en êtes.

En ce qui concerne les aspects satisfaisants, il est possible que vous en soyez content à 75 %. C'est parfait. Vous venez donc de relever quelque chose que vous souhaitez conserver dans votre vie, tout en l'améliorant. Cette réflexion vous aide à préciser, par rapport à un aspect de votre existence, ce que vous désirez maintenir, rejeter ou améliorer. Elle vous sert aussi à préciser vos rêves et vos désirs pour l'avenir.

Pour ce qui est des insatisfactions, faites la liste de ce que vous ne voulez plus dans votre vie ou de ce qui vous insatisfait que vous souhaitez améliorer. Il vous sera plus facile de distinguer ce que vous désirez précisément. Prenez donc le temps de bien réfléchir à ce qui vous semble insatisfaisant dans votre vie actuelle. Vous pourrez ainsi, dans un instant, déterminer ce que vous voulez vraiment.

Si vous n'avez pas assez de temps pour remplir tout le bilan maintenant (de grâce, n'utilisez pas cela comme excuse ; c'est ainsi qu'on passe à côté de sa vie !), je vous invite à choisir le secteur qui vous semble le plus problématique et à faire l'exercice au moins pour celui-là.

QUE LA FORCE D'ATTRACTION SOIT AVEC TOI

Il est possible que vous désiriez poursuivre tout de suite la lecture. Si tel est le cas, allez-y avec plaisir. Cependant, revenez plus tard compléter cet exercice. Comme je vous l'ai mentionné auparavant, vous aurez de la difficulté à créer ce que vous désirez si vous ne savez pas ce que c'est.

On continue.

« Ce que je désire »

Vous avez défini ce que vous vivez présentement, ce qui est satisfaisant et ce qui ne l'est pas. Vous avez, par le fait même, compris ce dont vous ne voulez plus dans votre vie.

Maintenant, c'est le temps de triper ! Faites une liste de ce que vous voulez, de ce que vous désirez, de ce à quoi vous rêvez. Laissez-vous aller, permettez-vous de rêver !

En concentrant votre attention sur ce que vous désirez, vous commencez déjà à créer, à envoyer les bons signaux à l'univers.

À partir de ce qui vous satisfait, notez ce que vous souhaitez conserver, augmenter ou améliorer dans votre vie. Par exemple, si vous avez indiqué, dans la section « situation financière », *Certains de mes placements prennent de la valeur,* vous pouvez inscrire, dans la colonne « ce que je désire », *Tous mes placements prennent de la valeur.*

À partir de ce qui est insatisfaisant, déterminez ce que vous désirez. Par exemple, si vous avez relevé l'insatisfaction suivante : *Mes revenus sont instables,* le désir correspondant serait : *Je génère des revenus satisfaisants pour mener la vie dont je rêve.* Ou encore, *Je travaille 60 heures par semaine* correspondra à *Je travaille 35 heures par semaine.*

Ensuite, sur la ligne Rêves/désirs, permettez-vous d'inscrire ce que vous voulez créer dans les différents secteurs de votre vie, même si, pour le moment, cela ne ressemble en rien à votre réalité. Par exemple, *Je désire contribuer à mon REER tous les ans au maximum,* ou encore, *Je désire avoir une relation amoureuse enrichissante, réciproque, profonde et respectueuse.*

Faites cette réflexion pour chacun des secteurs de votre vie. **Pensez gros. Donnez-vous le droit de rêver large.** Souvent, on n'ose pas demander ou rêver, car on a peur d'être déçu. Or, si vous ne demandez pas, vous ne recevrez pas. C'est aussi simple que cela.

Il peut être intéressant de préciser, pour chaque secteur, votre degré global de satisfaction. Par exemple, vous pouvez vous accorder une cote de satisfaction de 7/10 dans le secteur amoureux. Puis, définissez quels désirs, s'ils étaient comblés, vous apporteraient une satisfaction de 10/10.

Demander est le début de la réalisation de votre désir.

Désirer est le début de l'attraction de la réponse à ce désir dans votre vie.

Allez-y, osez rêver en grand. Souvenez-vous, vous avez affirmé plus tôt que vous vouliez une grande vie, pas une petite.

EXERCICE DE COACH

Le bilan de vie

Prenez le temps de dresser votre bilan. Faites un premier jet. Revenez-y à plusieurs reprises pour le peaufiner. Voici un exemple :

	CE QUE JE VIS	CE QUE JE DÉSIRE
Travail		
Satisfactions	• J'aime mon travail de représentante des ventes.	• Obtenir davantage de responsabilités dans le secteur des ventes.
	• J'apprécie l'entreprise pour laquelle je travaille.	• Être reconnue par les dirigeants comme une employée qui contribue au succès de l'entreprise.
Insatisfactions	• Je travaille 60 heures par semaine.	• Travailler en moyenne 35 heures par semaine.
	• Il n'y a pas de travail d'équipe dans mon service.	• Travailler en collaboration avec les membres de mon équipe.
	• Mon territoire de vente régional est trop petit.	• Couvrir un territoire de vente national.
Rêves/désirs		• Occuper un poste de direction dans le secteur des ventes.

● ● ●

En consacrant votre attention à ce que vous désirez vraiment, vous le ferez grandir. C'est comme une plante ou un jardin. Pour que votre jardin soit le plus beau possible, il faut l'arroser, lui donner de l'engrais, bref, lui accorder votre attention.

**Tout ce à quoi vous prêtez attention
grandira dans votre vie.**

Maintenant, vous avez en main un bilan de ce que vous désirez. Vous possédez déjà certaines choses, d'autres doivent être créées.

Avant de vous lancer dans le processus de création, je vous propose une vérification afin de déterminer si vos désirs proviennent de votre cœur ou de votre tête.

La tête au service du cœur

Pourquoi faire cette distinction ?

Pour vivre une vie à votre mesure, où toute votre puissance est mise à contribution et dans laquelle vous êtes en harmonie parfaite avec vous-même, il est important de savoir quels besoins seront comblés par la réalisation de ces désirs. S'agit-il de besoins provenant du cœur ou de la tête ? Je vous explique.

La société valorise beaucoup le succès « extérieur », comme la grosse voiture, le boulot important, les vacances extravagantes. Il semblerait que cela corresponde à des normes sociales « acceptables », selon lesquelles on aurait « réussi ».

Étant donné ces pressions sociales, il ne faut pas s'étonner que beaucoup de vos choix soient influencés par un besoin d'obtenir l'**approbation des autres**. Vos désirs sont souvent influencés par l'extérieur plutôt que de naître à l'intérieur de vous.

Parlons un peu de la notion de succès. Qu'est-ce que le succès ? Pour moi, il ne consiste pas à réussir dans la vie, mais plutôt **à réussir sa vie**. Vous seul savez ce qui vous ferait dire : « J'ai réussi ma vie. » Sur votre lit de mort (bon, encore un peu de drame !), serez-vous fier de ce que vous aurez accompli, de ce que vous laisserez derrière vous ?

Comment déterminer quelles sont vos aspirations profondes, celles qui, une fois comblées, feront de votre vie une réussite à vos propres yeux ?

Je vous propose, pour les découvrir, de **mettre la tête au service du cœur.** À mes yeux, cela veut dire que je choisis ma façon de **vivre en fonction de ce que je désire vraiment** (mon cœur) et que **j'utilise mes capacités** (ma tête) **pour y parvenir.**

Par exemple, pour réaliser mon rêve de démarrer une entreprise (rêve qui vient du cœur), j'utilise mon sens de l'organisation (ma tête). Ou encore, je décide de quitter mon emploi de comptable pour devenir massothérapeute (désir né dans mon cœur) et j'utilise mes talents (ma tête) pour y parvenir.

● ● ●   Vous sentez que vous devez quitter votre emploi, qui vous rend malheureux, bien qu'il soit prestigieux et payant. Or, votre famille valorise beaucoup la réussite « extérieure ». Ça adonne mal, puisque vous rêvez en cachette, et cela depuis belle lurette, de devenir ébéniste. Vous adorez fabriquer des meubles, c'est votre hobby depuis plusieurs années et vous y excellez.

       Mais voilà, c'est vu comme un passe-temps par votre entourage, pas comme un emploi ou une business potentielle. Vers quel désir irez-vous ? Celui issu de la pression extérieure ou celui né dans votre cœur ?

       Il est vrai que, de l'extérieur, quitter votre emploi semble ridicule, et pourtant, vous entendez cet appel intérieur. C'est difficile à expliquer, mais vous le ressentez fortement. Oserez-vous concrétiser votre rêve ?

● ● ●   Louise, une cliente, rêve depuis des années de travailler dans le domaine des arts. Elle est présentement employée dans une banque. Elle ne se permet même pas d'imaginer ce que serait sa vie si elle suivait son cœur. Elle a peur d'être déçue si elle rêve trop. Elle se dit qu'elle n'a pas l'énergie ni l'argent nécessaires pour retourner aux études, qu'elle est trop vieille, etc. La liste des objections est interminable… jusqu'au jour où l'appel est trop fort.

Je travaille avec elle pour qu'elle s'ouvre à l'idée qu'elle a le pouvoir de créer ce qu'elle veut. Je lui parle de sa puissance créatrice, de son pouvoir d'attraction. Peu à peu, elle ose y croire et commence à y rêver.

Finalement, elle dit oui à son désir, et vlan ! les choses se mettent en place. Après une recherche, elle découvre que la formation parfaite est offerte sous peu. Son conjoint a des rentrées d'argent imprévues. Elle jouit du soutien de ses proches… Louise commence sa formation et constate qu'elle a le talent pour travailler dans ce domaine. Son rêve est en voie de se réaliser. Elle a osé y croire et le désirer vraiment.

Le cœur ou la tête

Pour savoir si vos désirs proviennent de votre cœur ou de votre tête, essayez de comprendre la différence entre les deux.

Un **désir né dans la tête** aura souvent les caractéristiques suivantes :

- Il a pour but d'obtenir l'approbation de quelqu'un (votre père, votre mère, votre amoureux, etc.). Par exemple, devenir avocat alors qu'on rêve d'être agronome ou plombier, c'est suivre un désir de sa tête.

- Il prend racine dans la peur, l'insécurité. C'est le cas si vous voulez devenir directeur d'un service à cause du salaire associé à cette fonction (désirer la sécurité financière), alors que vous détestez gérer des gens, que vous êtes solitaire et que vous adorez faire de l'analyse seul dans votre bureau. Vous vous conformez alors à un désir de la tête.

• Lorsque vous pensez à votre désir, il vous laisse froid, ne vous procure aucune sensation de chaleur au cœur (vous savez, cette sensation qu'on éprouve quand on dit que quelque chose nous fait chaud au cœur — on a l'impression que son cœur se gonfle).

• Ce désir, une fois comblé, ne vous apportera aucune satisfaction, car il cherche à répondre à une demande qui vous est extérieure (votre image, votre statut social, etc.).

• Ce désir, vous le ressentez par devoir, parce que c'est ce qu'on attend de vous.

Voici à quoi ressemble un **désir du cœur** :

• Il vous fait chaud au cœur et vous apporte de la joie. Par exemple, vous imaginez faire de l'horticulture votre gagne-pain. Juste à y penser, vous éprouvez un sentiment de bien-être incomparable. Faire de votre hobby votre occupation principale, wow !

• La simple idée de le réaliser vous rend enthousiaste.

• Il comble votre besoin de réalisation, de reconnaissance. Quand vous imaginez qu'il puisse être comblé, vous avez du mal à croire à votre chance. Vivre ainsi, ce serait magnifique !

• Il vous valorise, vous fait sentir plus complet.

• Lorsque vous imaginez qu'il s'est réalisé, vous ressentez un regain de vitalité et d'énergie.

• Il peut vous faire peur et vous sembler inaccessible. Vous vous demandez : « Oserai-je vraiment penser à le réaliser ? » Pourtant, vous entendez un appel du cœur qui dit : « Ce serait génial ! »

Avez-vous maintenant une bonne idée de la différence entre ces deux sources de désir ? Oui ? Parfait ! Passons au test.

Un moyen efficace de faire cette vérification est de définir le besoin qui se cache derrière le désir. Lorsque vous l'avez précisé, le besoin vous permettra de réajuster le désir pour correspondre à l'essence de ce que vous voulez créer. Aussi, formulez votre désir comme s'il était déjà réalité dans votre vie. Dites, par exemple : « je vis », « je possède », « je génère », etc.

● ● ●   Mon désir : Je rêve de vivre dans une maison centenaire en Estrie.

Le besoin qui se cache derrière ce désir : Je veux vivre dans la quiétude, en pleine nature, au sein d'une communauté qui partage mes valeurs.

Mon désir réajusté : Je vis une vie paisible à la campagne, au sein d'une communauté qui partage mes valeurs.

● ● ●   Votre désir : Vous souhaitez rencontrer un bel homme grand, intéressant, etc.

Le besoin qui se cache derrière ce désir : Vivre une relation harmonieuse et enrichissante avec un homme généreux, drôle, intelligent, attentionné.

Votre désir réajusté : Je vis une relation amoureuse avec un homme qui me comble sur tous les plans.

À votre tour !

--- ● ● ●

QUESTIONS DE COACH

Les désirs du cœur

Relisez les désirs que vous avez formulés dans l'exercice précédent (vous pouvez choisir de faire l'exercice en vous concentrant sur un secteur particulier de votre vie).

1. Pour chacun de ces désirs, établissez s'il vient du cœur ou de la tête.

2. S'il provient de la tête, faites ressortir le besoin qui se cache derrière.

3. Ensuite, révélez le vrai besoin de votre cœur. Voici quelques questions qui vous aideront à y parvenir. Ayez recours à celles qui vous sont utiles:

   – À quoi mon désir va-t-il servir?

   – Qu'est-ce que je veux vivre?

   – Pourquoi est-ce que je souhaite faire cela ou réaliser ce désir?

   – Quel besoin comble-t-il?

   – Quels bénéfices en retirerai-je lorsque j'aurai réalisé ce désir?

4. Ensuite, révisez votre désir pour y inclure l'essence de votre besoin.

Quelques exemples:

DÉSIR	Avoir un territoire de vente national.
CŒUR OU TÊTE?	Tête
QUEL BESOIN COMBLE CE DÉSIR?	Avoir l'air de réussir parce que je monte dans la hiérarchie.
QUEL EST LE VRAI BESOIN DU CŒUR?	Relever des défis/me développer. Mettre ma créativité au service du développement de mon entreprise.
COMMENT PEUT-IL ÊTRE COMBLÉ? (Définir le désir du cœur en incluant l'essence du besoin.)	Je participe au projet de développement de nouveaux marchés pour mon entreprise.

DÉSIR	Avoir une BMW Z4.
CŒUR OU TÊTE?	Cœur
QUEL BESOIN COMBLE CE DÉSIR?	Beauté/plaisir
QUEL EST LE VRAI BESOIN DU CŒUR?	Apprécier la beauté et avoir du plaisir.
COMMENT PEUT-IL ÊTRE COMBLÉ? (Définir le désir du cœur en incluant l'essence du besoin.)	Je possède une belle voiture qui m'apporte du plaisir.

DÉSIR	Obtenir un poste de direction.
CŒUR OU TÊTE?	Tête
QUEL BESOIN COMBLE CE DÉSIR?	Pouvoir/argent
QUEL EST LE VRAI BESOIN DU CŒUR?	Contribuer au bonheur des employés et au succès de l'entreprise.
COMMENT PEUT-IL ÊTRE COMBLÉ? (Définir le désir du cœur en incluant l'essence du besoin.)	J'occupe un poste qui me permet d'avoir un impact positif sur les employés et sur l'entreprise.

DÉSIR	Générer des revenus importants.
CŒUR OU TÊTE?	Tête
QUEL BESOIN COMBLE CE DÉSIR?	Avoir l'air de réussir dans la vie.
QUEL EST LE VRAI BESOIN DU CŒUR?	Connaître une existence simple et douce.
COMMENT PEUT-IL ÊTRE COMBLÉ? (Définir le désir du cœur en incluant l'essence du besoin.)	Je génère des revenus satisfaisants pour mener une vie qui me rend heureuse.

Dans les exemples, j'ai fait référence aux «vrais» besoins pour préciser le désir du cœur. Comme vous pouvez le constater, les énoncés reflètent l'essence plutôt que la forme. Il est possible que le poste de direction soit une étape ultérieure et que le besoin caché derrière ce désir puisse être comblé autrement.

À votre tour. En vous basant sur les exemples prédédents, poursuivez votre réflexion.

Pour savoir si votre nouveau désir est vraiment un désir du cœur, revoyez les caractéristiques de celui-ci à la page 56 et déterminez si le fait d'imaginer sa réalisation vous fait chaud au cœur, vous remplit d'enthousiasme, etc.

● ● ●

ON FAIT LE POINT

- Vous avez dressé votre bilan de vie.
- Vous avez défini ce que vous désirez dans votre vie.
- Vous avez transformé les désirs de votre tête en désirs du cœur.

On passe à autre chose. On avance. Souvenez-vous, c'est important : vous êtes en train de planifier la création de votre vie !

Un désir réalisable

Il est possible que vous ayez un désir ardent pour quelque chose, mais que cela vous semble hors de portée. Peut-être aussi vous sentez-vous mal à l'aise, lorsque vous formulez ce désir ou que vous y pensez, parce qu'il n'est pas « vrai », parce qu'il n'existe pas encore et vous semble impossible à réaliser. C'est souvent pour cela que le simple fait de répéter des affirmations ne fonctionne pas : elles ne sont pas vraies.

Évidemment, si tel est le cas, vous vous sentirez inconfortable en pensant à ce que vous souhaitez. Vous émettrez alors des vibrations négatives, **ce qui nuira à la réalisation de votre désir.** Il est important de trouver un énoncé de désir avec lequel vous vous sentez à l'aise, qui vous semble aussi accessible qu'excitant et qui se situe hors de votre zone de confort – n'oubliez pas, vous voulez connaître une grande vie !

Par exemple, si je souhaite devenir présidente d'une entreprise où je travaille actuellement en tant que directrice des événements spéciaux, une telle promotion pourrait me sembler inaccessible.

Lorsque vous pensez à votre désir, que vous le visualisez, que vous lisez ou écrivez à son sujet, il est important que vous sentiez que sa réalisation est possible, afin d'émettre des vibrations positives, donc **un signal**

positif. Vous vous souvenez ? Vos pensées suscitent des émotions qui émettent des vibrations et envoient un signal à l'univers. L'univers vous répond par le même signal.

Si vous vous sentez mal à l'aise en songeant à votre désir, je vous suggère, comme à tous mes clients aux prises avec ce type de difficulté, de le reformuler jusqu'à ce qu'il vous semble réalisable. Il faut que vous vous sentiez bien en imaginant la réalisation de ce désir.

Petite mise en garde. Quand je vous propose de « reformuler votre désir », je ne veux pas dire qu'il faille « diminuer votre désir » au point où il se transforme en un vœu qui ne vous procurera plus aucune satisfaction lorsqu'il sera réalisé. Souvenez-vous, vous voulez une grande vie !

Je vous offre trois options.

Option 1. Comme l'indique Michael Losier, auteur canadien-anglais, la clé pour qu'une affirmation (votre énoncé de désir) soit efficace, c'est qu'elle soit « vraie » pour vous, afin de vous faire éprouver un sentiment positif. L'objectif, c'est que vous vous sentiez bien. Pour que cela se produise, il suggère de rajouter à l'affirmation les mots suivants : « Je suis en voie de... » Cela permet d'entamer le processus de création en rendant le désir accessible.

EXERCICE DE COACH

Un désir réalisable, option 1

Songez à votre désir et formulez-le en ajoutant, au début : « Je suis en voie de… »

Exemples :

• Je suis en voie d'obtenir un poste de président dans une entreprise.

• Je suis en voie d'avoir une relation harmonieuse avec mon conjoint.

• Je suis en voie de rembourser mon hypothèque.

Observez comment vous vous sentez en énonçant votre désir de cette manière. Si vous êtes toujours mal à l'aise et que le désir vous apparaît irréalisable, passez à l'option 2.

Option 2. Il est aussi possible d'inclure, au début de votre énoncé de désir, les mots : « J'ai l'intention de… » C'est ce que nous suggère Lynn Grabhorn dans son livre *Excusez-moi, mais votre vie vous attend*. Selon elle, l'intentionnalité permet d'acheminer davantage d'énergie vers le désir. Je suis tout à fait d'accord avec elle.

À votre tour de voir comment cette affirmation modifie l'énergie de votre désir.

EXERCICE DE COACH

Un désir réalisable, option 2

Songez à votre désir et formulez-le en ajoutant :

« J'ai l'intention de… »

Exemples :

• J'ai l'intention de vivre à la campagne, dans un lieu paisible.

• J'ai l'intention de devenir expert en coaching.

• J'ai l'intention de profiter d'une grande abondance financière.

Observez comment vous vous sentez en énonçant votre désir de cette façon. Si vous vous sentez toujours mal à l'aise, passez à l'option 3.

● ● ●

Option 3. Si, après avoir fait l'exercice précédent, vous vous sentez toujours mal à l'aise, il est possible que :

• votre désir ne corresponde pas à vos aspirations profondes ;

• votre désir soit réalisable, mais seulement dans un avenir éloigné ;

• vous nourrissiez des croyances, des peurs, des préjugés ou des émotions négatives relativement à ce désir. Si c'est le cas, nous allons voir à l'étape 2 comment éliminer ces blocages.

Une des difficultés de ce processus est de savoir ce qu'on désire vraiment et de l'accepter entièrement. Il est possible que ce qu'on désire ne réponde pas aux attentes des autres à notre égard. Cela crée un sentiment d'inconfort.

Je vous invite maintenant à « jouer » avec la formulation de votre désir pour en trouver une qui vous convienne totalement et qui vous enthousiasme. C'est un jeu d'essais et d'erreurs.

Écrire votre désir plusieurs fois peut aussi vous aider à le préciser et à le sentir vibrer en vous. Si j'étais à vos côtés, je vous demanderais d'en faire un premier énoncé. Ensuite, nous jouerions avec les mots jusqu'à ce que vous vous sentiez bien avec la formulation.

EXERCICE DE COACH

Un désir réalisable, option 3

Songez à nouveau à votre désir et jouez avec sa formulation jusqu'à ce que vous vous sentiez à l'aise et enthousiaste.

Exemples :

- « Je fais de l'exercice quatre fois par semaine pour être en forme » se reformule en « Je bouge régulièrement pour avoir de l'énergie. »

- « Je fais attention à ma santé » devient « Je choisis de bien me nourrir pour vivre en santé. »

Si vous n'y arrivez toujours pas, il est possible que vous ayez besoin d'aide pour enlever les barrières qui se dressent devant vous. L'étape 2 vous aidera à prendre conscience de ce qui peut bloquer.

Si vous sentez que votre désir, tel que vous l'énoncez, ne vous colle pas à la peau, ne vous fait pas vibrer, je vous encourage à retourner à l'étape précédente pour préciser s'il s'agit bien d'un désir de votre cœur.

Il est important de démarrer avec ce qui importe vraiment pour vous.

• • •

Le désir élargi

Vous mettrez toutes les chances de votre côté en ajustant la formulation de votre désir pour que toutes les possibilités y soient incluses.

Dans son livre *Le facteur d'attraction*, Joe Vitale propose d'inclure à la fin de l'énoncé du désir ce petit bout de phrase : « Cela ou quelque chose de mieux ». En ajoutant ce commentaire, vous couvrez plus large et évitez d'être limité par ce que vous vous sentez capable d'imaginer en ce moment. J'ai trouvé la suggestion très intéressante, je l'ai mise en pratique et j'ai constaté son effet rassurant. Qu'en pensez-vous ?

EXERCICE DE COACH ● ● ●

Le désir élargi

Pour finaliser l'exercice précédent et élargir vos désirs, réécrivez-les en incluant « cela ou quelque chose de mieux ».

Exemples :

- Je participe au projet de développement de nouveaux marchés, cela ou quelque chose de mieux.

- Je possède une magnifique voiture qui m'apporte du plaisir, cela ou quelque chose de mieux.

- J'ai un poste grâce auquel je peux avoir un impact positif sur les employés, cela ou quelque chose de mieux.

- Je génère des revenus satisfaisants pour mener une vie qui me rend heureuse, cela ou quelque chose de mieux.

● ● ●

ON FAIT LE POINT

- Vous avez maintenant une liste de désirs qui vous font vibrer.
- Gardez-la à portée de main, sur votre table de chevet par exemple.
- Lisez-la régulièrement. Vous allez mieux comprendre pourquoi plus tard.

Je vous félicite de cet excellent départ. Maintenant, passons à la prochaine étape et explorons ce qui peut nuire à la réalisation de vos désirs.

En passant, je serais curieuse de savoir ce qui s'est produit dans votre vie au cours des derniers jours, depuis que vous avez précisé vos désirs. Un événement a-t-il contribué à la réalisation d'un de vos désirs ? N'importe quel événement, aussi petit soit-il. Allez, réfléchissez et inscrivez cela dans votre journal de bord.

Étape 2

Éliminer les blocages

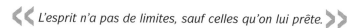 *L'esprit n'a pas de limites, sauf celles qu'on lui prête.*

**Napoleon Hill,
auteur américain, 1883-1970**

L'ÉTAPE EN BREF

Cette deuxième étape vous permettra de déceler ce qui peut nuire à la réalisation de vos désirs, tels vos préjugés, vos croyances limitantes, vos peurs, vos émotions négatives. Vous nettoierez le chemin pour permettre à votre désir de devenir réalité. C'est l'étape du grand nettoyage de l'aimant pour qu'il soit bien propre et qu'il attire exactement ce que vous désirez, sans aucun débris inutile. N'oubliez pas, vous êtes un aimant puissant !

Qu'est-ce qui peut vous nuire dans la réalisation de vos désirs ? Je vous présente trois blocages qui sont, selon mon expérience, les plus communs. C'est un excellent point de départ pour procéder au nettoyage de votre aimant.

Blocage 1 : ce qu'on ne veut pas

Vos pensées influencent constamment vos expériences. Avec cette puissance d'attraction, **vous attirez à vous ce à quoi vous pensez le plus.**

Voici ce qui se passe lorsque vous pensez.

• En pensant fréquemment à ce que **vous désirez vraiment,** vous attirez à vous ce type d'expérience.

• Inversement, en pensant fréquemment à ce que **vous ne voulez pas,** vous verrez les choses que vous craignez se produire dans votre vie.

Cette force ne fait pas de différence entre ce que vous désirez et ce que vous ne voulez pas. Elle répond simplement **à la vibration que vous émettez avec vos pensées.** Selon son principe, ce à quoi vous pensez est la **commande,** et elle y répond, bêtement.

Dans *The Secret,* un magnifique film sur le principe d'attraction, les réalisateurs font référence à la métaphore de la lampe d'Aladin. Le génie représente la force d'attraction, et la lampe, les désirs. Le génie dit à Aladin : « *Your wish is my command* » (« Vos désirs sont des ordres »). Il ne se pose pas de questions sur la commande, il l'exécute, telle quelle.

Posez-vous ces quelques questions :

• Que commandez-vous présentement à l'univers ?

- À quoi avez-vous pensé le plus fréquemment au cours des derniers jours ? À tout ce qui fonctionne bien dans votre vie ou à tout ce qui va mal ?

- Vers quoi portez-vous le plus souvent votre attention ? Le bonheur ou le malheur ?

Réfléchir à tout cela est un peu dérangeant, me direz-vous. Peut-être, mais c'est aussi très excitant vu les possibilités. Maintenant que vous connaissez la puissance d'attraction de vos pensées, vous pouvez changer celles-ci pour attirer à vous ce que vous désirez.

Vous avez la liberté de choisir ce à quoi vous consacrez votre attention.

Un rappel : en prêtant attention à votre désir, à l'aide de vos pensées, vous demandez ou commandez à l'univers l'objet de vos souhaits.

Selon la teneur de vos pensées, que vous désiriez qu'une chose arrive ou pas, vous demandez... constamment.

Vous n'avez même pas besoin d'utiliser des mots. Vous n'avez qu'**à sentir intérieurement** : « Je désire ceci, j'adore cela, j'apprécie ceci, je déteste cela, etc. » La maîtrise de vos pensées, donc de vos émotions, est par conséquent très importante. Votre pensée crée.

Souvent, même quand vous croyez penser à ce que vous désirez, vous êtes habité par l'opposé.

Par exemple, Louise désire une nouvelle voiture, mais elle pense toujours à l'argent qui lui manque pour se la procurer. Selon vous, quel signal reçoit l'univers ? Exactement : le manque d'argent. Il est même possible que Louise suscite encore plus de difficultés financières dans sa vie à cause de ses pensées.

Vos pensées sont très puissantes. Vous êtes très puissant. Ne l'oubliez pas. Il s'agit de mettre cette puissance au service de votre bonheur plutôt que de votre malheur.

● ● ● Je vous ai déjà parlé du démarrage de ma pratique de coaching. Je vous explique comment j'ai mis en application la force d'attraction.

Lorsque j'ai commencé à faire du coaching, évidemment, je désirais des clients. Pourtant, je n'arrivais pas à en recruter. Avec le recul, je ne m'en étonne aucunement.

En effet, chaque fois que je pensais à mon désir, je me concentrais sur les clients que je n'avais pas. Si vous avez compris le concept, vous ne serez pas surpris du fait que personne ne se présentait à ma porte...

Quand j'ai découvert le principe de l'attraction, voici ce que j'ai fait pour renverser la vapeur. Je me suis imaginée en train de répondre au téléphone, d'accueillir de nouveaux clients et même d'en refuser parce que je n'avais plus de disponibilités. Je me suis vue inscrire les rendez-vous dans mon agenda. J'ai ressenti par avance le plaisir de coacher ces clients, la satisfaction de générer des revenus par mon travail.

Deux semaines plus tard, le téléphone s'est mis à sonner, et cela n'a pas arrêté depuis. Quand un mandat se termine, un autre commence. Tout se passe d'une manière facile, fluide et abondante.

Il y a toujours un lien parfait entre ce que vous pensez, donc ressentez, et ce que vous attirez à vous.

À quoi pensez-vous ?

Maintenant que vous connaissez ce principe, il devient important de vous arrêter régulièrement pour vérifier s'il existe une corrélation entre ce que vous pensez/ressentez et ce que vous créez dans votre vie. En observant ce qui vous arrive, vous saurez exactement ce à quoi vous pensez le plus souvent. Cela correspondra à ce qui se passe dans votre quotidien présentement.

Par exemple, si vous souhaitez jouir d'une belle abondance financière et que, en fait, vous accumulez les dettes, arrêtez-vous et interrogez-vous sur la nature de vos pensées. Que se passe-t-il pour vous ? Sur quoi vos pensées sont-elles centrées ?

Pour l'avoir expérimentée, je sais que la force d'attraction fonctionne. Par conséquent, je sais que je suis responsable de ce qui m'arrive. Donc, je m'efforce constamment d'être consciente de mes pensées et de mes émotions pour savoir ce que j'émets comme vibration intérieure, comme signal. La question que vous devez vous poser est la suivante : « Quel genre d'aimant suis-je pour attirer ainsi les dettes ? » Transformez les pensées qui vous nuisent. Vous verrez comment.

Le défi le plus important à relever, c'est d'exercer une **maîtrise consciente sur vos pensées.**

Aussi longtemps que vous vous centrez sur ce que vous ne voulez pas plutôt que sur ce que vous souhaitez vraiment, vous créez ce que vous cherchez à éviter.

Il est primordial d'être toujours conscient de ses pensées.

Voyons comment cela se passe pour vous et ce que vous pouvez faire pour modifier vos pensées.

Une piste de solution : le « pivotage »

Quelles sont les pensées qui vous habitent par rapport à vos désirs ? Songez-vous à ce que vous voulez ou à ce que vous cherchez à éviter ? Si vous cultivez des pensées correspondant à ce que vous ne voulez pas, je vous invite à les remplacer par d'autres centrées sur ce que vous désirez vraiment à l'aide du « **pivotage** ». Cette technique est proposée par Esther et Jerry Hicks dans le livre *Créateurs d'avant-garde*.

Voici comment fonctionne la technique du « pivotage ». Chaque fois que vous pensez à ce que vous ne voulez pas — que ce soit par rapport à un désir précis ou général —, vous vous arrêtez et vous vous dites : « Bon, parfait. Je sais ce que je ne veux pas. Maintenant, qu'est-ce que je souhaite vraiment par rapport à cette situation ? » Puis, vous tournez votre attention vers ce que vous désirez. Vous serez étonné de constater à quel point vous pensez souvent à ce que vous ne voulez pas.

● ● ● À une certaine époque de ma vie, beaucoup de gens autour de moi me siphonnaient de l'énergie. Je me disais que je ne voulais plus de relations de ce genre. Pourtant, cela n'arrêtait pas. Quand j'ai réalisé ce à quoi je pensais, j'ai remplacé mon discours intérieur par : « Je veux des relations où l'échange est égal. » Vous ne serez pas surpris de lire que mes rapports avec ces personnes ont pris fin ou qu'ils se sont transformés.

Il semble que le cerveau n'entend pas le « ne pas ». Il l'élimine et garde le reste de la phrase. Par conséquent, « Je ne veux plus de dettes » devient « Je veux des dettes », de la même façon que « Je ne veux plus travailler si fort » devient « Je veux travailler si fort ». Pas de doute, il importe vraiment d'être attentif à ses pensées !

À votre tour !

EXERCICE DE COACH

Le « pivotage »

1. En relisant la liste de vos désirs, déterminez si vous pensez à ce que vous voulez ou à ce que vous ne voulez pas.

   - Identifiez précisément ce qui occupe votre esprit. Si vous êtes habité par ce que voulez, c'est parfait. Sinon, allez à la question 2.

Exemples :

MES DÉSIRS	JE PENSE À CE QUE JE VEUX	JE PENSE À CE QUE JE NE VEUX PAS
Je génère des revenus satisfaisants, dans la facilité et la joie.		Je ne veux pas travailler trop fort.
Je rembourse mon hypothèque facilement, en peu de temps.		Je n'ai pas assez de revenus.
J'ai toute l'énergie nécessaire pour accomplir ce que je veux faire.	Oui ! Je pense à aller marcher régulièrement pour avoir beaucoup d'énergie.	

2. Si vous avez constaté que vous pensez à ce que vous ne voulez pas, identifiez ce que vous souhaitez vraiment et commencez à entretenir des pensées positives immédiatement.

Exemples :

DÉSIRS	JE PENSE À CE QUE JE VEUX
Je génère des revenus satisfaisants, dans la facilité et la joie.	Je travaille avec plaisir, un nombre d'heures acceptable, pour générer les revenus dont j'ai besoin.
Je rembourse mon hypothèque facilement, en peu de temps.	Je génère les fonds pour rembourser mon hypothèque rapidement.

Avant de passer au blocage suivant, je veux vous rassurer un peu. Sachez que les pensées positives ont beaucoup plus de pouvoir que les négatives. Ce n'est pas parce que vous avez eu quelques idées négatives au sujet de vos finances que le désastre est imminent. **Vous avez le temps de réévaluer vos pensées et de les modifier.**

En revanche, si vous maintenez ces pensées négatives de façon constante, vous commencerez à attirer cette réalité dans votre vie. Je vous encourage donc à pratiquer le « pivotage » pour vous débarrasser de toutes vos pensées négatives.

Blocage 2 : les croyances, les peurs, les préjugés

Nos pensées sont souvent influencées par nos croyances, nos préjugés, nos peurs, etc.

Prenons l'exemple des croyances limitantes. Il s'agit d'idées auxquelles vous croyez et qui vous empêchent d'agir, d'espérer, de vouloir. Comme leur nom l'indique, elles limitent votre potentiel. Elles nuisent à la réalisation de vos désirs.

Ces croyances, ces peurs ou ces préjugés sont comme des barrières (ou des murs, selon leur intensité) qui se dressent entre vous, l'aimant, et la réalisation de votre désir.

Voici quelques exemples de croyances, de peurs et de préjugés que vous entretenez peut-être...

- Il faut travailler fort pour réussir.
- Je ne serai jamais capable.
- J'ai peur d'échouer.
- Ça arrive toujours aux autres.

- Je ne comprends jamais rien.

- Ce n'est jamais facile pour moi.

- J'ai peur de ce que les gens vont penser de moi.

- Personne n'a dit que la vie était facile.

- Moi, je ne suis pas bon en…. (complétez avec ce qui vous parle).

- Je cuisine mal. (Celle-là, c'est la mienne !)

- Je suis trop vieille pour changer de travail.

- À partir de 50 ans, on a de la difficulté à se trouver du travail, un partenaire de vie, etc.

- Les femmes conduisent mal.

- Les hommes n'ont pas d'intuition.

- Je ne suis pas créatif.

- Ça ne marchera pas.

- En novembre, on déprime.

- Etc.

Êtes-vous en terrain connu ?

Si vous entretenez ce genre de pensées, beaucoup de vos projets sont voués à l'échec.

Par exemple, Paule désire partager sa vie avec un homme qui l'aime et la respecte. Cependant, pour une raison quelconque, elle se juge indigne de l'amour d'un homme. Cette croyance est incrustée en elle. Elle bloque la réalisation de son désir.

Lorsqu'elle pensera à son désir, l'émotion qu'elle éprouvera sera sans doute un sentiment d'imposture, d'impossibilité. C'est ce signal qui sera envoyé à l'univers. Donc, aucun homme ne se pointera à l'horizon, ou encore elle attirera à elle un homme qui ne l'aimera pas et ne la respectera pas.

● ● ●   Pendant un de mes ateliers sur la force d'attraction, j'avais décidé de mettre les principes en pratique en même temps que les participants. J'ai émis le désir de vivre une relation amoureuse. Lorsque j'ai réfléchi aux peurs et aux croyances que je portais en moi, j'ai réalisé que je craignais, si j'étais plongée dans une histoire d'amour, de manquer de temps pour moi. À la suite de cette prise de conscience, j'ai tenté de changer cette perception… sans succès, comme vous le verrez.

Quelques mois plus tard, j'ai rencontré un homme qui me plaisait beaucoup. Gros hic, il n'était pas libre. J'ai demandé à ma collègue Anne, qui animait les ateliers avec moi : « Veux-tu bien me dire comment ça se fait qu'il est marié ? » En riant, elle m'a répondu : « Pourquoi, d'après toi ? » Quand j'ai relu mon journal, j'ai repris contact avec la peur qui m'habitait de manquer de temps pour moi.

J'avais réussi à attirer ce que je souhaitais, un homme, mais à partir de ma peur. Oui, j'ai rencontré quelqu'un, mais qui n'était pas libre. Si j'étais entrée en relation avec lui, j'aurais eu beaucoup de temps pour moi ! Grâce à cet événement, j'ai travaillé à me libérer de cette peur et à changer ma perception. J'ai finalement entamé une relation avec un homme libre.

Voici quelques exercices qui vous permettront de prendre conscience des peurs, des croyances limitantes et des préjugés qui pourraient nuire à la création de ce que vous désirez.

En faisant celui qui suit, il est possible que vous identifiiez une croyance, une peur profondément ancrée en vous. Si tel est le cas, je vous recommande de consulter une personne spécialisée en relation d'aide, qui vous permettra de dénouer cet ancrage.

Il est parfois difficile de démolir certains murs tout seul. Un travail à deux est plus bénéfique et souvent plus rapide. Quand on réfléchit seul, on a tendance à tourner en rond. On manque de recul pour voir clairement d'où vient l'ancrage et comment le dénouer. Il est trop chargé pour soi, sur le plan émotif.

Cela ne veut pas dire qu'il faille passer des années en thérapie. Il y a des moyens efficaces de se défaire de ces ancrages rapidement. Je vous encourage à explorer cette possibilité. Ça vaut le coup. C'est votre vie que vous êtes en train de créer !

EXERCICE DE COACH

Les croyances, les peurs, les préjugés

Prenez une feuille et tracez deux colonnes, puis choisissez un de vos désirs. D'un côté, écrivez-le 10 fois. De l'autre côté, inscrivez les pensées, les croyances, les peurs et les préjugés qui montent en vous pendant que vous énoncez votre souhait. Vous éprouverez peut-être le besoin de revoir la formulation de celui-ci selon ce que vous ressentez.

Il est possible que cet exercice vous rende encore plus enthousiaste par rapport à votre désir. Les croyances et les peurs se dissipent plus facilement lorsqu'on en prend conscience.

Voici un exemple personnel :

DÉSIR	CROYANCES, PEURS, PRÉJUGÉS
J'écris mon livre dans la facilité, la fluidité et la joie.	Je ne sais pas écrire.
J'écris mon livre dans la facilité, la fluidité et la joie.	Je peux toujours essayer.
J'écris mon livre dans la facilité, la fluidité et la joie.	Pour qui est-ce que je me prends ! Penser à écrire un livre !
J'écris mon livre dans la facilité, la fluidité et la joie.	J'ai des choses importantes à dire. (Bon, la vapeur commence à se renverser.)
J'écris mon livre dans la facilité, la fluidité et la joie.	Qu'est-ce que j'ai de si spécial à dire ? Tout a été écrit sur le sujet.
J'écris mon livre dans la facilité, la fluidité et la joie.	J'ai une façon toute particulière, qui m'est propre, de le dire.
J'écris mon livre dans la facilité, la fluidité et la joie.	
J'écris mon livre dans la facilité, la fluidité et la joie.	Je commence à ressentir de l'enthousiasme à l'idée d'écrire ce livre.
J'écris mon livre dans la facilité, la fluidité et la joie.	
J'écris mon livre dans la facilité, la fluidité et la joie.	Pour qui est-ce que je me prends de penser à écrire un livre ! Je doute de ma légitimité comme auteure.

S'il y a lieu, essayez de vous défaire des croyances limitantes, des peurs et des préjugés qui nuisent à votre désir.

À la suite de cet exercice, j'ai travaillé avec Paul, un collègue coach qui est aussi maître praticien en programmation neurolinguistique, sur mon identité comme auteure. Cette démarche a fonctionné. Merci, Paul ! Je suis en train d'écrire mon livre. De plus, j'ai la ferme intention d'être publiée. C'est un désir du cœur.

C'est un exercice très révélateur. Quand ils le font durant mes conférences, les participants en ressortent parfois avec plus d'enthousiasme par rapport à leur désir qu'ils n'en avaient au début de la soirée. Ou encore, ils prennent conscience des voix intérieures qui nuisent à sa réalisation.

● ● ●

Une piste de solution : la transformation

Vous avez vraiment le pouvoir de choisir ce à quoi vous croyez. Certaines croyances viennent de votre éducation et ne vous servent plus du tout. Vous pouvez décider maintenant de les modifier.

Par exemple, lorsque vous étiez jeune, on vous a répété à maintes reprises que l'opinion des autres était importante. Cette croyance nuit à la mise en marche de votre nouvelle profession. Vous pouvez décider aujourd'hui que, comme adulte, vous ne vous préoccupez plus de l'opinion des autres. Vous choisissez d'avancer courageusement vers votre rêve.

Cela n'élimine pas les craintes, mais au moins vous agirez à partir de ce qui est important pour vous. Souvenez-vous, sur votre lit de mort, voulez-vous avoir eu le courage de vivre votre rêve ou être passé à côté parce que votre famille se préoccupait de l'opinion des voisins ?

Il faut que vous récupériez votre pouvoir personnel. C'est essentiel à la réussite de votre vie.

Allons voir comment vous pouvez transformer vos peurs, vos croyances et vos préjugés.

EXERCICE DE COACH

Transformez vos croyances, vos peurs et vos préjugés

À partir de l'exercice précédent, revenez sur chaque croyance, chaque peur et chaque préjugé que vous avez identifiés, puis transformez-les en une nouvelle conviction qui permettra la création de ce que vous désirez.

Voici quelques exemples :

CROYANCES/JUGEMENTS/PRÉJUGÉS	NOUVELLES CROYANCES
Je ne suis pas une auteure légitime.	Je suis une auteure légitime et je suis capable d'écrire un livre.
Réaliser mon projet va être ardu.	Réaliser mon projet va être captivant et enrichissant. Je suis persévérante et je reçois toujours l'aide dont j'ai besoin.
Je n'ai jamais été chanceuse en amour.	À partir d'aujourd'hui, j'attire l'amour dans ma vie.
Je ne peux pas faire ce projet, j'ai des enfants.	Je peux réaliser ce qui me tient à cœur tout en respectant les besoins de mes enfants.

● ● ●

Bravo ! Un pas important vient d'être franchi. Maintenant, allons voir du côté des émotions.

Blocage 3 : les émotions négatives

Comme vos émotions émettent une vibration, donc un signal, elles cons-tituent un guide fiable pour vous indiquer où vous en êtes par rapport à la création de votre désir. Elles sont un système de guidance, une sorte de radar intérieur.

Lorsque vous comprenez vos émotions et le message qu'elles émettent, vous n'avez pas besoin d'attendre d'avoir créé quelque chose avant de réagir. Il vous est possible de prévoir exactement ce qui s'en vient par la façon dont vous vous sentez.

Voici quelques règles qui vous permettront de dire où vous en êtes :

- Quand vous vous sentez bien, que vos émotions sont positives, vous êtes en voie de réaliser votre désir.

- Quand vous vous sentez mal, que vos émotions sont négatives, vous nuisez à la réalisation de votre désir.

Vos émotions sont des indicateurs **absolus** de ce que vous émettez comme vibration. Elles vous disent ce que contient votre aimant, ce qu'il va attirer à lui. Elles vous permettent de savoir, à n'importe quel moment, si vous facilitez la réalisation de votre désir, si vous lui résistez ou si vous vous en éloignez.

Pour savoir où vous en êtes dans votre processus de création, il n'y a qu'une question importante à se poser :

Qu'est-ce que je ressens présentement par rapport à ce désir ?

C'est assez simple, car, dans le fond, il n'y a que deux genres d'émotions : les bonnes et les mauvaises. En d'autres termes, vous vous sentez bien ou mal.

Répondez honnêtement à la question suivante :

Est-ce que je me sens bien ou mal ?

- Si vous vous sentez bien, c'est parfait. Vous vous dirigez vers ce que vous désirez. Lorsque vous vous sentez bien, votre aimant est « propre », il attire ce que vous souhaitez dans votre vie.

- Si vous vous sentez mal, vous n'allez pas dans la direction de vos désirs. Une adaptation de vos pensées et de vos émotions est alors nécessaire pour que l'aimant que vous êtes attire ce que vous voulez.

Ce principe se résume simplement : tout ce que vous devez faire pour avoir une vie heureuse, c'est entretenir des pensées qui vous font sentir bien la plus grande partie du temps. C'est connu, les gens heureux attirent encore plus de bonheur.

Je sais, ce n'est pas toujours possible.

Cependant, sachant que vous n'attirez pas ce que vous désirez quand vous vous sentez mal, vous pouvez choisir de prendre conscience du malaise et d'identifier les pensées, les croyances et les jugements qui le provoquent. Puis, vous aurez la possibilité de changer votre paire de lunettes et de regarder ce qui se passe sous un angle différent.

Une piste de solution : le recadrage

Quand vous portez attention à ce que vous ressentez et que vous choisissez **des pensées suscitant des émotions positives** par rapport à votre désir, vous demeurez aligné avec lui sur le plan vibratoire. Vous l'attirez à vous.

Vous êtes le maître **ABSOLU** de vos pensées.

Lorsque vous éprouvez une émotion négative, faites l'exercice conscient de **guider vos pensées vers ce qui vous permettra de vous sentir bien**. En réorientant ainsi vos pensées, vous cherchez à ressentir une émotion qui vibre en harmonie avec votre désir. J'appelle cela le **recadrage.**

Vous trouverez plus facile de viser une émotion que de centrer votre attention sur vos pensées. Le principe d'attraction dit que tout ce à quoi vous accordez votre attention devient **votre vérité, votre réalité.**

Votre vie est le reflet de vos pensées.

Vos émotions vous laisseront toujours savoir où est votre point d'attraction. Qu'est-ce que vous attirez à vous présentement, en tant qu'aimant ?

En prêtant ainsi attention à vos émotions et en ayant des pensées qui modifient ce que vous ressentez, vous pouvez vous guider vous-même vers une fréquence vibratoire qui entraîne la réalisation de vos désirs.

Vous pouvez passer de « Je me sens bien ou apprécié » à « Je me sens mal ou dévalorisé », ou encore de « Je me sens mal ou incompétente » à « Je me sens bien ou compétente ».

Vous seul pouvez choisir ce que vous voulez ressentir.

En exerçant de la discipline sur vos pensées, donc sur vos émotions, vous pouvez recevoir ce que vous demandez.

Par exemple, si votre désir est de démarrer une entreprise et que vous y pensez régulièrement avec beaucoup d'enthousiasme, ne soyez pas surpris de croiser la personne parfaite pour vous aider à trouver rapidement du financement.

En revanche, si vous y pensez en vous disant que c'est impossible, que vous n'êtes pas capable, que vous n'avez pas ce qu'il faut, il y a de fortes chances que tout ce que vous entrepreniez ne fonctionne pas.

Pour le recadrage, posez-vous ces deux questions :

• **Qu'est-ce que je veux ressentir ?**

• **À quoi dois-je penser pour ressentir cela ?**

Plus vous en ferez l'expérience et aurez du succès, plus votre pouvoir de créer sera grand. Vous y croirez de plus en plus. Le cercle vertueux dont je parlais se mettra en place. Ce sera de plus en plus facile de réaliser ce que vous désirez. Vous acquerrez aussi une discipline personnelle en portant attention à vos pensées et à vos paroles.

On essaie.

EXERCICE DE COACH

Le recadrage

Vous pouvez décider dès maintenant de changer votre vibration.

1. En utilisant la liste de vos désirs, identifiez ce que vous ressentez et pensez par rapport à chacun d'eux. Observez vos résistances, prenez conscience de ce qui bloque. Voici un exemple :

   DÉSIR : Je génère de l'abondance financière dans ma vie.

   ÉMOTION : Anxiété

   PENSÉES AGISSANTES : Je n'y suis jamais arrivé. J'ai toujours manqué d'argent.

2. Pour procéder au recadrage, répondez aux deux questions suivantes :

   • Qu'est-ce que je veux ressentir relativement à ce désir ?

   • À quoi dois-je penser pour susciter l'émotion désirée ?

   Faites l'exercice, pensée par pensée, jusqu'à ce que vous ressentiez l'émotion recherchée. Il est possible que vous n'y arriviez pas tout de suite. L'idée, c'est de tenter de vous sentir mieux et de recommencer, jour après jour, jusqu'à ce que vous éprouviez une sensation de bien-être.

Exemple :

DÉSIRS	ÉMOTIONS DÉSIRÉES	NOUVELLES PENSÉES
Je génère de l'abondance financière dans ma vie.	Enthousiasme, sentiment de sécurité, espoir.	• Mon dernier mandat a généré de bons revenus. • Je suis maintenant en voie de générer des revenus. • Je connais un nouvel outil pour y arriver. Beaucoup de gens y parviennent. • J'ai présentement tout l'argent dont j'ai besoin. • Chaque fois que j'ai besoin d'argent, quelque chose arrive pour que j'en obtienne suffisamment. • Je suis donc capable de jouir d'une belle abondance sur le plan financier.

À votre tour.

Vérifiez si, à la fin de l'exercice, ces pensées suscitent l'émotion que vous recherchez. Sinon, continuez jusqu'à ce que vous ayez réussi. Cela peut vous prendre quelque temps, quelques jours. Persévérez. L'objectif est de vous sentir bien. Souvenez-vous que le bien-être est votre état naturel.

● ● ●

J'aimerais faire une distinction entre la pensée positive et l'affirmation positive et le recadrage.

Je connais des gens qui pratiquent la pensée positive et n'obtiennent aucun résultat. Par exemple, ils se répètent mécaniquement, sans le sentir : « Je suis riche, je suis riche, je suis riche. » Si je les interroge, je découvre qu'ils ne croient pas que devenir riche est possible pour eux, qu'ils considèrent que l'argent est sale, etc.

Ce qui compte avant tout, c'est **l'émotion.** La pensée que vous choisissez doit générer une émotion positive pour que vous envoyiez le bon signal à l'univers. Donc, sélectionnez des pensées qui génèrent des sentiments positifs.

Si vous n'avez pas encore obtenu ce que vous désirez, c'est parce que la vibration, le signal que vous envoyez ne correspond pas à la vibration de votre désir. Posez-vous alors la question suivante à propos de votre désir :

Quel est le signal que j'envoie présentement à l'univers par rapport à mon désir ou à ma vie en général ?

En ce qui me concerne, si je dois refuser un mandat, pour incompatibilité d'horaire par exemple, et que cela m'insécurise, je me dis : « Tout est parfait. Je vais avoir tous les clients dont j'ai besoin pour maintenir mon rythme de vie. » C'est une affirmation totalement positive.

Parfois, je le dis, mais je n'arrive pas à le ressentir vraiment. Je me reprends. Je me recadre. Je change ma paire de lunettes pour avoir une vision améliorée de ma situation actuelle et, par conséquent, de mon avenir.

Dans l'exemple précédent, si cette nouvelle pensée ne suffit pas à dissiper mon malaise, je retourne en arrière et repense à tous les succès que j'ai eus dans le passé sur le plan financier. Mes revenus ont toujours été adaptés à mon style de vie. Dans mon cas, cette méthode fonctionne bien, car j'utilise déjà la force d'attraction dans ma vie et j'en ai constaté les bénéfices.

Un truc que propose Michael Losier, l'auteur canadien-anglais dont j'ai déjà parlé, est de trouver des « preuves » que votre désir est réalisable. Imaginons, par exemple, que vous voulez vendre votre maison rapidement. Demandez-vous si, en ce moment, des propriétaires y parviennent au Canada. La réponse est oui. Donc, si c'est possible pour eux, ça l'est aussi pour vous. Relire votre journal et constater les résultats que vous avez obtenus jusqu'à présent va aussi vous aider.

J'utilise régulièrement cette technique. Je me dis : « Si c'est bon pour eux, ça l'est aussi pour moi ! » Cela augmente ma confiance et me rend plus enthousiaste. Je me mets dans un état d'anticipation. J'ai hâte que les choses que j'espère m'arrivent à moi aussi et je suis très curieuse de voir comment cela se produira.

Petit rappel sur la manière dont la force d'attraction fonctionne (je le répète souvent, mais c'est nécessaire pour que le concept s'intègre profondément) :

• Tout ce que vous désirez, que vous le formuliez verbalement ou non, vous le transmettez de façon vibratoire.

• Ce désir est entendu et compris par l'univers, qui y répond en vous accordant ce que vous demandez. « Vos désirs sont des ordres. » Imaginez que ce désir est placé à l'intérieur d'un camion, dans un entrepôt, et qu'il attend que votre aimant soit assez puissant pour mettre le camion en mouvement. Votre responsabilité consiste à envoyer des signaux positifs, une sorte d'acceptation de livraison, pour que le camion quitte l'entrepôt. Ces signaux sont émis à partir de ce que vous ressentez, un sentiment à la fois. Vous devez attirer le camion à vous en renforçant l'aimant, c'est-à-dire en éprouvant des émotions positives.

Quand vous êtes envahi par des sentiments négatifs, demandez-vous :

Est-ce ainsi que je veux me sentir ?

La réponse sera non, assurément. Qui veut se sentir mal ?

Ensuite, demandez-vous :

Qu'est-ce que je veux ressentir ?

Enfin, demandez-vous :

Quelles pensées feront en sorte que je me sente bien ?

Je partage avec vous un des trucs que j'utilise si je me sens vraiment mal et que rien d'autre ne fonctionne. J'ai recours à une pensée « bonheur ». Je pense à mon chat, Maxou. Il est tellement drôle ! Je l'imagine quand il s'approche à deux centimètres de mon visage et qu'il me regarde avec ses grands yeux bleus tout ronds (de vraies billes !), en ayant l'air de me dire : « Eh ! J'existe. Occupe-toi de moi ! » Ce chat n'a jamais de problème existentiel. Il est ma pensée « bonheur ». Quand je pense à lui, je retrouve toujours un meilleur état d'esprit !

Quelle est votre pensée « bonheur » ? Prenez quelques moments pour y réfléchir.

Un autre truc qui aide à renverser la vapeur et à retrouver une impression de bien-être, c'est le sourire. **Souriez, même si vous n'en avez pas envie.** Votre vibration changera.

Je trouve que mon sourire est ce que j'ai de plus précieux à offrir aux autres. Si vous me croisez dans la rue, il y a de grandes chances que je vous sourie, même si je ne vous connais pas. J'ai adopté cette habitude il y a des années. Et comme je reçois beaucoup de sourires en retour, ma vibration est encore renforcée.

Pour créer ce qu'on désire, il faut absolument faire preuve de discipline et augmenter la qualité de ses pensées. C'est indispensable.

La pensée crée la destinée.

ON FAIT LE POINT

Vous avez franchi deux étapes :

• Vous avez clairement défini vos désirs.

• Vous avez éliminé ce qui pouvait nuire à leur réalisation.

C'est le moment d'activer l'énergie de chaque désir, de ressentir les émotions, les sensations associées à sa réalisation.

Étape 3

Se centrer sur son désir

L'ÉTAPE EN BREF

Voici une étape cruciale du processus permettant d'activer la vibration de votre désir. C'est le début de l'envoi du signal à l'univers. Vous allez fortifier l'aimant en prétendant que votre désir est déjà réalité dans votre vie. Vous allez déjà ressentir les émotions que vous apportera la réalisation de votre désir, ce qui va activer l'énergie de ce dernier. Dès cette étape, vous attirerez des réponses qui aideront vos aspirations à se concrétiser.

La clé pour obtenir l'objet de votre désir est de réaliser « l'égalité vibra-toire » entre vos pensées (donc, vos émotions) et ce que vous souhaitez. Qu'est-ce que cela veut dire concrètement ?

Je me permets un petit rappel. Vous êtes un aimant. Vous attirez à vous ce que vous demandez, selon la force et le contenu de votre aimant. Vos pensées et vos émotions déterminent la teneur du signal que vous envoyez.

Comme vous pensez tout le temps, votre corps produit constamment un signal capté par l'univers. On peut dire que vous émettez une vibra-tion. Cette vibration, ce signal est reçu par l'univers, qui y répond.

Vous devez donc avoir des pensées et des émotions qui vibrent à la même fréquence que vos désirs. Voici ce phénomène sous forme schématique :

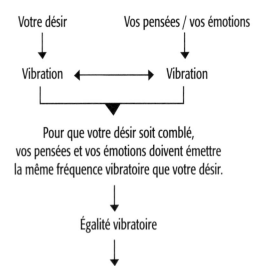

Ce principe ressemble à celui selon lequel fonctionne la radio. Si vous voulez entendre de la musique classique, vous devez syntoniser la bonne fréquence.

Donc, si je désire connaître l'harmonie dans ma relation amoureuse, mes pensées doivent aller vers cette harmonie afin de susciter l'émotion correspondante. Celle-ci va émettre le bon signal à l'univers, et je vais recevoir la réponse appropriée.

Si vous désirez l'harmonie dans votre couple et que vous pensez à vos conflits, qu'allez-vous attirer ? Des conflits. C'est en accord avec le principe de l'attraction. C'est ce à quoi vous pensez. La force d'attraction ne se pose pas de question. Elle répond au signal, à votre commande.

Souvenez-vous : vos pensées créent des émotions qui émettent une vibration, laquelle se transforme en un signal pour l'univers. Celui-ci y répond. C'est assez simple, même un peu bébête. C'est direct.

Votre réalité, **présente et future,** est touchée par le signal que vous émettez **en ce moment.** La pensée crée.

Ce à quoi vous pensez maintenant génère une force d'attraction qui est en train de créer votre vie. Cette force est aussi garante de ce que l'avenir vous réserve.

Voici quelques questions-clés à vous poser pour créer ce que vous désirez :

• Quelle est la fréquence vibratoire de mon désir ?

• Quelles pensées dois-je entretenir pour émettre la fréquence vibratoire de mon désir ?

Voici comment répondre à ces deux questions.

La fréquence vibratoire du désir

La fréquence vibratoire de votre désir est ce que **vous ressentirez lorsque votre désir sera réalisé.**

Pour découvrir ce qu'est cette sensation, vous pouvez « faire comme si ». Vous imaginez que vous avez déjà comblé vos aspirations et vous ressentez les émotions que cela suscite en vous.

Prenons l'exemple de l'abondance financière.

Pour « faire comme si », vous vous voyez examiner votre relevé bancaire bien garni de milliers de dollars. Vous ressentez une impression de satisfaction, de sécurité, de plaisir. Vous imaginez que vous versez un gros montant pour rembourser votre hypothèque. Vous éprouvez la satisfaction de faire ce paiement. Vous vous voyez entrer dans un magasin et acheter ce que dont vous avez envie sans vous préoccuper du prix.

Vous êtes rempli d'émotions liées à un sentiment d'abondance, de prospérité. L'important, c'est de trouver des images qui vous parlent, à vous.

Ces sensations, c'est la vibration de votre désir.

Faites comme si.

Vous visualisez **en intégrant les sensations** liées à ce que vous imaginez et vous y allez à plein. C'est ce que j'appelle une « visualisation ressentie ». Vous imaginez que votre désir **est déjà comblé** dans votre vie. Vous portez vos pensées vers le plaisir de l'expérience. **Vous y pensez, vous le voyez et vous le sentez.** Vous faites comme si c'était déjà arrivé.

Vous vibrez à la fréquence de votre désir.

Une chose importante à retenir, c'est que l'univers et votre cerveau ne font pas de distinction entre la vibration que vous émettez par rapport à ce que vous vivez et celle que vous émettez avec ce que vous imaginez. C'est génial ! Des heures de plaisir se présentent à vous.

Les pensées à cultiver pour émettre la vibration du désir

En ressentant les émotions associées à la réalisation de votre désir, vous émettez de façon constante la vibration qui lui est propre. En accord avec le principe de l'attraction, vous commencez déjà à attirer cette expérience dans votre vie.

Par exemple, Julie désire contribuer au bonheur de son équipe et au succès de son entreprise. Elle s'imagine organiser des activités qui rendent son équipe heureuse. Elle ressent le plaisir que généreront ces activités. Elle éprouve la satisfaction de ses coéquipiers. Elle se voit recevoir des remerciements pour ce projet qu'elle a mené à bien et qui a contribué au succès de son équipe et de l'entreprise. Elle imagine que cela s'est déjà produit et se projette dans l'avenir pour ressentir le bien-être découlant de cet événement.

Selon les auteurs américains Esther et Jerry Hicks, si on se concentre **17 secondes** sur une pensée, une vibration s'active. Si on maintient son attention sur cette pensée **68 secondes,** la vibration est assez puissante pour que la création commence.

Au début, la vibration a peu de force d'attraction. Si vous restez concentré assez longtemps, la puissance de la vibration augmente, devient plus claire, et la force d'attraction se met en branle.

Il suffit d'avoir de plus en plus de pensées qui correspondent avec la vibration du désir. C'est le cercle vertueux dont je vous parlais plus tôt. Cela ressemble à un grand élan d'enthousiasme qui s'installe.

Puissant, non ?

Vous obtenez ce à quoi vous pensez, que vous le vouliez ou non. En d'autres mots, ce à quoi vous pensez (donc, ce que vous ressentez) et ce que vous manifestez dans votre vie constituent toujours un « match » vibratoire.

EXERCICE DE COACH

Faire comme si

Choisissez un de vos désirs. Vous pouvez en sélectionner un assez simple pour vous exercer. Vous pouvez même utiliser quelque chose de facile qui peut se vérifier dans la journée, comme un rendez-vous obtenu, un appel reçu, etc.

1. Songez à votre désir et imaginez qu'il est déjà comblé dans votre vie – faites comme si... Laissez couler vos pensées et vos sensations vers le plaisir de l'expérience.

   • Que se passe-t-il ? Notez vos succès et vos résistances.

   • Souhaitez-vous réviser votre désir ? Réécrivez-le jusqu'à ce que vous éprouviez exactement la sensation que vous recherchez.

2. Durant les prochains jours, amusez-vous à prétendre que ce désir est déjà réalisé. Éprouvez l'expérience sensorielle que cela vous procure, vivez le plaisir, la sécurité, la fierté, la satisfaction, l'amour qui y sont associés.

   • Notez ce qui se passe en vous. Quels sentiments, quelles pensées, quelles peurs émergent ?

   • Si des émotions négatives surgissent, revenez à l'étape 2 pour éliminer les blocages.

   • Amusez-vous à imaginer ce désir comme une réalité durant toute une journée.

3. Agissez comme si.

  • On va un peu plus loin. En plus de sentir le désir comme une réalité, commencez à agir comme si c'était le cas. Vous avez envie d'acheter de nouveaux meubles ? Allez magasiner. Ayez du plaisir à le faire. Imaginez que l'argent est en chemin et commencez à choisir ce que vous voulez.

4. Et surtout, amusez-vous avec tout cela !

● ● ●

Si vous n'arrivez pas à ressentir quoi que ce soit de positif, il se peut que vous ne croyiez pas que la réalisation du désir choisi soit possible. Dans ce cas, je vous invite à réévaluer le désir de base et à le rendre réalisable et crédible pour vous, même s'il reste un peu osé.

Jouez avec le désir jusqu'à ce que vous puissiez le ressentir de manière positive. Référez-vous aux trucs de l'étape 1 pour le rendre réalisable.

Je vous entends soupirer, vous trouvez que c'est beaucoup de boulot, tout cela. Peut-être que ce sera le cas au début, mais avec le temps, cet exercice se fera presque automatiquement. Vous allez exprimer un désir, réfléchir au besoin qui le sous-tend et le « réaligner ».

Cela peut être fait en vous posant simplement la question suivante : « Est-ce que c'est ce que je désire vraiment ? » Puis, vous évaluez comment vous vous sentez afin d'ajuster le désir si nécessaire. Lorsque ce sera fait, vous imaginerez automatiquement que le désir est réalisé.

Ceux qui travaillent en entreprise connaissent les bénéfices d'une planification efficace, l'importance de fixer le bon objectif pour avancer dans la bonne direction. C'est la même chose ici. Vous définissez l'objectif et vous l'imaginez comme s'il était atteint.

C'est votre vie que vous êtes en train de planifier. Je suis certaine que vous ne lésinez pas sur les heures que vous consacrez à mener à bien un projet au bureau, n'est-ce pas ? Dans ce cas-ci, c'est de votre vie qu'il est question. Si vous n'y mettez pas l'effort voulu, ne soyez pas surpris de constater que votre vie ne vous comble pas. Pensez-y. C'est important.

Ce dans quoi vous investissez votre énergie grandira dans votre vie.

Restez centré sur votre désir. **Engagez-vous envers lui.** Décidez une fois pour toutes que vous voulez jouir de la chose qui vous fait envie. Votre pouvoir de décision est grand. J'aimerais vous entendre dire : « C'est assez, je la veux, cette maison de campagne ! »

Il faut cependant nuancer un peu les choses. Quand je vous propose de vous amuser à visualiser le désir comme une réalité, vous devez le faire avec détachement, sans acharnement. Cet exercice ne doit pas être fait à partir de la tête ; c'est plutôt une question de « ressenti ». Vous faites votre part en imaginant que votre désir est déjà comblé. L'univers fait la sienne en vous envoyant des gens, des circonstances, des intuitions qui vous aideront à le réaliser.

Le secret pour attirer ce que vous désirez, c'est de le vouloir sans vous préoccuper de la manière dont les choses vont se passer. Le tout doit être fait avec un certain détachement. Vous y pensez, tout en lâchant prise quant à la façon dont cela va se produire. On pourrait parler d'une « présence détachée ». La philosophie zen nous enseigne d'ailleurs à **laisser aller pour mieux laisser venir.**

Votre boulot, c'est de trouver le quoi.
Celui de l'univers, c'est de déterminer le comment.

Vous devez laisser l'univers faire sa part, tout en restant à l'affût des messages qu'il vous enverra sous forme de synchronicité, d'intuitions ou d'inspirations. Nous en reparlerons à la prochaine étape.

Vous devez aussi vous attendre à ce que vos souhaits se réalisent. Emmet Fox, scientifique et philosophe américain, nous dit qu'on ne reçoit que lorsqu'on s'attend à recevoir. Je vous parlais plus tôt d'enthousiasme et d'anticipation. C'est l'attitude que vous devez maintenir.

Quand vous demandez, il n'y a pas de place pour le doute. Vous vous mettez en état de recevoir ce que vous avez demandé. Vous vous y attendez. Bob Proctor, philosophe américain, a écrit ceci : « Le désir vous connecte avec l'objet désiré, et l'anticipation l'attire dans votre vie. » (Traduction libre de l'auteure.)

D'autres outils pour se centrer sur son désir

Si la visualisation ne vous convient pas, voici quelques moyens qui peuvent vous aider à émettre des vibrations positives.

Un collage

Faire un collage est un moyen très puissant de ressentir l'émotion associée à ce que vous désirez. Je l'utilise, personnellement et avec mes clients. Pendant tout le temps où je prépare le collage, je suis enthousiasmée par mon rêve. Je cherche la meilleure image possible pour représenter ce que je désire. Je m'emballe. Je m'arrête, j'y pense, je me régale à l'idée de créer cela dans ma vie.

Dans le film *The Secret,* un entrepreneur fait un témoignage touchant. Sur son *vision board*, un tableau où il représentait ce qu'il désirait, il avait collé l'image de la maison de ses rêves. Plusieurs années plus tard, en revoyant cette image en compagnie de son fils de cinq ans, il a constaté que sa maison correspondait exactement à celle qu'il avait illustrée sur son tableau. Oui, c'est possible. Il n'est pas le seul à avoir fait cette expérience.

Quel est votre rêve ?

Le collage est une représentation visuelle de votre désir. Il vous en donne une image plus ou moins précise, selon le point où vous en êtes dans votre démarche. Vous pouvez en voir des éléments précis, de petites parties. Il peut aussi correspondre à une sensation, à un état d'esprit. Par exemple, si vous souhaitez ressentir la paix intérieure, l'image de chandelles pourra faire partie de votre collage et symboliser cet état d'esprit.

Cet outil fait appel à l'hémisphère droit du cerveau, à votre côté créatif. Ce qui importe, ce n'est pas tant de penser que de ressentir. Il vous permet d'accéder à votre cœur, pas à votre tête.

Dans un collage, il n'y a pas de règles. Tout est permis. Le vôtre peut contenir des éléments symboliques. Ainsi, vous pouvez y placer quelque chose sans trop savoir pourquoi. La signification de cet élément deviendra plus claire quand vous le regarderez à nouveau ou quand vous le présenterez à quelqu'un d'autre, ce qui est une très bonne idée, car le partage donne de la puissance à votre désir. Vous devez cependant vous assurer de le présenter à une personne qui vous soutiendra dans votre rêve.

Le collage n'est pas une œuvre d'art, mais une représentation de votre désir, laquelle doit être significative pour vous.

Pour vous préparer au collage :

• Ramassez des coupures de magazines. Découpez tout ce qui éveille quelque chose en vous, tout ce qui vous touche.

• Prenez en note des citations qui vous inspirent.

• Notez aussi les mots qui ont pour vous une résonance particulière. Il peut s'agir d'un titre de journal ou de livre, de paroles prononcées par une personne qui vous inspire, de n'importe quoi qui éveille votre désir.

• Le matériel requis est simple : crayons de couleur, feutres, papier, colle, ciseaux, peinture, photos, images, mots, carton, morceau de polystyrène, collants pour scrapbooking, ficelles, fleurs, etc.

Pour confectionner votre collage :

• Choisissez ce qui vous inspire le plus dans ce que vous avez amassé.

• Disposez ces éléments sur votre carton et variez leur arrangement jusqu'à ce que vous sentiez que cela représente l'essence, l'émotion de votre désir. Personnellement, je fais un premier essai, puis j'y reviens à plusieurs reprises, au fil des jours, pour voir si cela correspond à ce que je souhaite vraiment.

• Une fois le collage terminé, placez-le à un endroit où vous pourrez le regarder souvent. Ressentez l'enthousiasme et l'anticipation que vous apportera le fait d'avoir réalisé le désir qu'il exprime.

Un scénario

Lynn Grabhorn, une auteure américaine, suggère d'écrire un **scénario de votre désir**. Je l'ai fait pendant plusieurs jours dans mon journal, le matin. C'est très puissant. Je songe à mon désir et je me fais toute une histoire sur la manière dont il se réalise et sur ce que je ressens quand il est réalisé. C'est vraiment amusant ! Plutôt que d'imaginer des drames dans ma tête (je suis certaine de n'être pas la seule à laisser la machine à anxiété s'emballer ainsi…), je m'invente de belles histoires. Je me sens bien, bénie, et j'ai l'impression de baigner dans l'abondance. Ainsi, mes vibrations positives se maintiennent.

Un manager universel

J'adore cet outil complètement farfelu proposé par Esther et Jerry Hicks. Ces auteurs proposent d'imaginer que nous avons à notre disposition un super vice-président, qui est là pour nous aider à créer notre vie. On peut lui déléguer toutes les tâches qu'on veut. C'est une façon imagée de mettre l'univers à contribution dans la création de sa vie.

Le mien s'appelle Georges. Je trouvais amusant de le nommer ainsi. Il est responsable de mon horaire, de mes finances, des places de stationnement dont j'ai besoin. Il fait du super boulot ! Quand ce que je désire arrive, je le remercie. La gratitude est essentielle, ne l'oubliez pas.

Un rituel quotidien

J'aime les rituels. Je crois qu'ils nous aident à maintenir une vibration positive. Un rituel, c'est un moment que vous vous accordez afin de vous reconnecter à vous-même.

Je vous fais part de ma routine pour maintenir ma vibration positive. Vous verrez, elle comporte plusieurs éléments. Cela s'explique : je suis portée sur l'introspection et j'ai une tendance à l'excès. En fait, j'adore être excessive ! Mon rituel répond à ce dont j'ai besoin, **moi,** mais il ne répondra pas nécessairement à vos besoins à vous. Bon, j'y vais.

• **Méditation.** Je pratique une forme de méditation basée sur la cohérence cardiaque durant 15 à 20 minutes.

Les recherches de l'Institut HeartMath ont démontré que la cohérence cardiaque aide à réduire le stress. En outre, elle permet de mieux se connecter à l'intelligence intuitive du cœur. Comme j'ai besoin de jouir d'un accès total à mon intuition, je fais cet exercice qui est, somme toute, assez simple. Je vous l'explique à la page 115. Les résultats sont fameux ! Dans mes ateliers sur l'intuition et avec mes clients, je l'utilise pour aider les gens à trouver les réponses qu'ils cherchent.

À la fin de la méditation, je demande à mon intuition : « De quoi ai-je besoin aujourd'hui ? » Je reçois des réponses du genre concentration, plaisir, amour, repos, harmonie avec l'énergie du jour, etc. Je me sers de ces indices intuitifs pour orienter le reste de ma journée.

• **Pages du matin.** Ensuite, j'écris mes « pages du matin ». J'ai adopté cet exercice après avoir lu l'ouvrage *Libérez votre créativité : osez dire oui à la vie !* de Julia Cameron. C'est génial.

L'idée, c'est de se libérer chaque jour de ce qui freine la créativité. J'écris à propos de ce qui va bien, de ce qui va moins bien, et je règle les problèmes immédiatement. Je ne laisse rien traîner. Une de mes amies dit toujours : « Tout ce qui traîne se salit. » Elle a raison. Je sais que j'ai un rendez-vous avec moi-même chaque matin pour faire le point. Souvent, une fois que j'ai complété mon « nettoyage », la créativité se met de la partie. J'ai de l'inspiration pour mon livre, mes ateliers, mes conférences, mes clients.

• **Ce que je suis, ce que j'ai et ce que je veux créer.** À la fin de ces pages, je fais un exercice important que j'ai adapté du livre *Le pouvoir de créer*, d'Abraham. J'écris ce que je suis ou ce que je veux être, ce que j'ai ou ce que je veux avoir, ainsi que ce que je veux créer aujourd'hui.

J'écris des choses du genre « je suis aimée, je suis appréciée, je suis prospère, je jouis d'une bonne santé, j'ai une maison et des chats que j'adore (vous devriez les voir !), je profite d'une belle abondance sur tous les plans, j'ai les dons et les talents nécessaires pour accomplir ma mission », etc.

À l'aide de cette liste, **je pratique la gratitude,** un excellent moyen d'augmenter la vibration. Notre attention est beaucoup trop orientée vers ce qu'on n'a pas. Pourtant, nous possédons plein de choses ! Dressez-en votre propre liste tous les jours. Cet exercice à lui tout seul changera votre vie, c'est garanti !

Lorsque j'aborde la question de ce que je veux créer, je commence toujours par : « Je crée, en collaboration avec l'univers, une journée parfaite pour moi. Je la vis dans la facilité, la fluidité, la joie et l'abondance. » Je vous l'avais dit, c'est ma marotte.

Puis, je détermine ce que je veux **absolument** créer. Il ne s'agit pas de toute la liste des choses à faire ce mois-là ! Je choisis des choses particulières et j'écris des phrases du genre : « Je règle tel dossier avec efficacité ; je coache tel client avec justesse ; je rédige le texte de ma conférence avec facilité et fluidité, etc. » Je termine toujours en écrivant : « Je me laisse surprendre par l'univers. Je choisis parmi les meilleures possibilités qui me sont offertes. »

C'est très efficace. Je suis centrée, calme, heureuse et en pleine maîtrise de mes moyens.

• **Le lever.** Je me lève et je passe une magnifique journée.

Vous n'avez pas besoin de faire tout cela. C'est ce dont j'ai besoin, **moi,** pour rester centrée, connectée, et pour produire un degré élevé de vibration. L'important est que vous trouviez un rituel qui vous aidera à vous centrer. Cela peut se résumer à prendre deux minutes pour dire merci à la vie et pour songer à ce que vous voulez expérimenter ce jour-là, tout en vous étirant et en bâillant langoureusement.

C'est malheureux, mais vous aurez de la difficulté à créer ce que vous désirez si vous vous conduisez comme une « poule pas tête » dans votre vie.

QUESTIONS DE COACH

Le rituel

- Quel rituel désirez-vous adopter pour rester centré ? Écrivez-le dans votre journal de bord et engagez-vous à le respecter.

- Quels changements avez-vous besoin de faire pour intégrer ce rituel ?

- Quand prévoyez-vous effectuer ces changements ?

- Effectuez ces changements dès maintenant. Commencez votre rituel au plus vite ! Votre vie en dépend !

S'il y a une chose que vous devez mettre en application, c'est de pratiquer la gratitude. Si vous ne retenez que cette notion de votre lecture, ce sera déjà suffisant pour changer votre vie.

Une lecture de ses désirs

Quand vous avez préparé la liste de vos désirs, je vous ai demandé de la garder près de vous. Vous en avez maintenant besoin. Laissez-la sur votre table de chevet ou recopiez-la dans votre agenda. Lisez-la régulièrement et accordez à chacune de vos aspirations une attention et une vibration positives. Tout ce sur quoi vous portez votre attention grandira dans votre vie.

Si vous avez d'autres outils pour vous centrer sur vos désirs, n'hésitez pas à les utiliser. Il existe plusieurs moyens de maintenir un degré de vibration élevé. En fait, tout ce qui vous rend heureux contribue à émettre une vibration qui attirera à vous des événements heureux. **Le bonheur attire le bonheur.**

Bravo ! Vous avez franchi un grand pas.

ON FAIT LE POINT

Les étapes franchies jusqu'à présent :

- Vous avez clairement défini vos désirs.

- Vous avez mis en lumière ce qui pouvait nuire à leur réalisation.

- Vous avez ressenti les émotions, les sensations associées à la réalisation de ces désirs, et vous avez adopté un rituel quotidien.

Vous devriez déjà avoir des intuitions et des manifestations de synchronicité dans votre vie. Cela vous amènera doucement vers ce que vous désirez créer.

Passons à l'étape 4. Voyons de quelle façon les intuitions et la synchronicité vont se présenter à vous et comment les utiliser.

Étape 4

Suivre ses intuitions et la synchronicité

« *Une vérité élémentaire gouverne tout acte de création,
et l'ignorer entraîne la mort d'innombrables idées et plans
magnifiques : dès qu'une personne s'engage vraiment
dans un projet, la Providence se met de la partie. Surviennent
alors une multitude d'événements favorables qui, autrement,
ne se seraient jamais produits. Les faits s'enchaînent pour
provoquer des rencontres et des phénomènes opportuns.
J'ai appris à respecter cette citation de Goethe : "Quels que
soient vos rêves, commencez à les réaliser, car l'audace
est faite de génie, de magie et de pouvoir."* »

W. H. Murray, 1913-1996,
The Scottish Himalayan Expedition

L'ÉTAPE EN BREF

Lorsque vous aurez activé la vibration de votre désir, vous commencerez à avoir des intuitions. Elles vous guideront vers les gestes à accomplir pour réaliser votre désir. À cette étape, vous vous mettez en action à partir de vos intuitions. Vous suivez vos *feelings* même s'ils vous semblent complètement farfelus.

De plus, vous constaterez que la synchronicité se met en place dans votre vie. Il s'agit de ce qu'on appelle parfois des coïncidences ou des heureux hasards. La synchronicité fait partie de la réponse que vous attirez à la suite de votre demande. Ce sont de « petits miracles ». Vous les accueillerez et décoderez leur signification et leur utilité par rapport à la réalisation de votre désir. Vous déciderez alors des gestes à faire.

Cette étape est primordiale. Vous vous mettez en mouvement vers la réalisation de votre désir.

L'intuition

Avant d'aborder les gestes à accomplir pour donner suite à vos intuitions, je vous propose une exploration des notions théoriques à ce sujet. Vous pourrez ainsi comprendre le fonctionnement de votre processus intuitif.

L'intuition est une sagesse intérieure qui vous dit ce qui est juste et approprié pour vous **en toute circonstance.** Elle ressemble à un sage qui vous connaît mieux que vous-même et qui a accès à de l'information dont vous n'êtes pas conscient de disposer.

L'intuition rend possible une compréhension globale et instantanée d'une situation, d'une problématique ou de sa solution. Elle est souvent inexplicable. C'est une sorte de connaissance innée. **Vous savez que vous savez.**

L'intuition vous guide vers ce que vous avez à vivre dans le moment présent. Les messages qu'elle vous transmet visent toujours votre plus grand bien, ils vous aident à évoluer. L'intuition est très personnelle ; ce qui est bon pour vous ne l'est pas nécessairement pour les autres.

Il importe de recevoir ses messages avec ouverture, sans porter de jugement. Il suffit de les accueillir tels qu'ils vous arrivent, sans interprétation ni analyse, afin d'éviter de nuire à leur réception.

Par la suite, vous pouvez les décoder et les interpréter. L'intuition est toujours juste, mais l'interprétation qu'on en fait peut être erronée.

À force de vous exercer, vous comprendrez mieux les messages de votre intuition. Cela ressemble à l'apprentissage d'un instrument de musique : il faut beaucoup s'exercer avant de le maîtriser.

L'intuition relève de la créativité (côté droit du cerveau) plutôt que de la rationalité et de la logique (côté gauche du cerveau). L'être humain est appelé à utiliser son intuition **en collaboration** avec son sens analytique pour optimiser sa vie et connaître le bonheur.

Grâce à l'intuition, **vous avez accès à toute l'information nécessaire pour mener la vie qui vous convient.**

L'intuition vous permet de profiter d'un radar intégré qui vous guide pas à pas pour maintenir le cap sur ce que vous voulez créer dans votre vie.

Vivre sans l'intuition, c'est comme piloter un avion sans l'assistance du radar ni de la tour de contrôle.

Les caractéristiques de l'intuition

Les trois caractéristiques principales de l'intuition sont le calme, la clarté et la joie.

L'intuition est associée à un profond sentiment de calme et de détachement. Si vous êtes agité après avoir reçu une intuition, il est fort possible qu'il s'agisse en fait d'une pensée magique, d'un espoir ou d'un désir de la tête. Une vraie guidance est associée à un sentiment de calme, d'acceptation et de joie.

Ce calme sera aussi accompagné d'une impression de pouvoir et de stabilité. L'intuition ne suscite pas d'agitation. Si vous n'éprouvez pas ces sensations, remettez en question votre intuition.

Toutefois, il est possible que vous ressentiez de la peur, surtout si votre intuition vous guide vers un geste qui vous entraînera hors de votre zone de confort. Il vous faudra alors dépasser cette peur.

Les 4 modes de perception de l'intuition

Les intuitions peuvent se manifester de quatre façons : elles sont auditives, sensorielles, visuelles ou directes. En général, chaque personne a une tendance naturelle à les capter selon un ou deux modes particuliers, mais tout le monde peut, en affinant sa perception, accéder aux quatre types décrits ci-après.

L'intuition sensorielle

 Avec l'intuition sensorielle, vous sentez.

Ce mode de perception intuitive se manifeste d'abord par une sensation physique, que vous décodez ensuite au moyen de vos pensées. Votre corps agit comme un immense radar et capte ce qui l'entoure.

Quand on a ce genre d'intuition, on dit, par exemple : « Je sens qu'il y aura des problèmes avec ce projet », « Je sens que tout ira bien », « Je sens que quelque chose cloche dans la chambre de bébé », « Je sens que je dois appeler Marie pour prendre de ses nouvelles. »

L'intuition directe

Avec l'intuition directe, vous savez.

Selon ce mode de perception, vous captez de l'information sans éprouver de sensation physique ni recevoir de stimulus extérieur. Soudainement, vous savez ! Ce type d'intuition arrive sous la forme d'une pensée, qui ne s'accompagne pas de sensation, de voix ou de vision. Elle consiste simplement en une connaissance instantanée, directe.

Si on vous demande comment vous savez telle chose, vous ne pouvez pas répondre. Pourtant, vous savez que vous savez ! Vous en avez la certitude.

Voici quelques exemples d'intuition directe : on vous présente un projet et vous savez s'il va fonctionner ou non, souvent sans raison logique. Ou encore, vous savez ce que quelqu'un va vous dire, comment va se dénouer une impasse, la solution au problème d'un collègue vous apparaît, etc.

Selon les recherches de Pete A. Sanders, auteur du livre *You Are Psychic !*, c'est le mode de perception le plus fréquent.

L'intuition visuelle

Avec l'intuition visuelle, vous voyez.

Ce mode de perception est fait d'impressions visuelles que vous captez au moyen d'images, de symboles ou de photos, un peu comme si vous regardiez un écran de télévision.

Par exemple, vous envisagez de lancer un nouveau produit, mais vos idées à ce sujet sont encore assez vagues. Puis un matin, au réveil, vous en avez une image claire. Autre scénario possible : vous imaginez le déroulement d'une situation, puis, quelques jours plus tard, celle-ci survient, semblable à ce que vous aviez vu. Vous pouvez aussi voir tout à coup le rapport que vous avez à produire ou le visage d'une personne que vous devez joindre.

Ce mode de perception vous envoie des images que vous captez sans les interpréter. Vous les décodez par la suite.

L'intuition auditive

Avec l'intuition auditive, vous entendez.

Les impressions perçues par l'intuition auditive sont semblables à une musique douce, à une voix étouffée qui vous parviendrait à travers des écouteurs ou à une voix qui vous soufflerait des mots à l'oreille.

Beaucoup de gens ne sont pas conscients d'avoir ce type d'intuition, car ils ont l'impression de se parler à eux-mêmes.

Par exemple, vous lisez tranquillement et vous entendez une voix vous dire : « Jean compte sur toi. » Vous décidez de l'appeler et vous constatez qu'en effet il avait besoin de votre aide.

Pour percevoir selon ce mode, vous devez porter votre attention vers l'intérieur et écouter ce qui est dit.

Les conditions favorisant la perception des intuitions

Quelques conditions sont indispensables pour favoriser l'accès à l'intuition. Je les énumère rapidement.

S'exercer, s'exercer, s'exercer

L'intuition est un talent inné, accessible à tout le monde et qui peut être développé. Comme tout autre talent, on doit s'y exercer avant de pouvoir l'utiliser comme un outil quotidien. Je recommande de tenir un journal de vos intuitions afin d'apprivoiser le fonctionnement de votre processus intuitif.

Commencez à l'expérimenter progressivement à l'aide de situations anodines ou d'exercices. Testez, réévaluez, testez, réévaluez. Faites-en une sorte de jeu.

La réceptivité, l'ouverture, la présence

Une attitude constante de réceptivité et d'ouverture vous garde branché sur votre intuition. Vous bénéficiez ainsi en tout temps de sa sagesse. Elle se capte dans le moment présent. Vous devez donc toujours être conscient de ce qui se passe.

Soyez prêt à recevoir des réponses complètement différentes de celles que vous attendiez ou espériez. Attendez-vous à être surpris par l'univers. Celui-ci a une connaissance complète du présent, du passé et de l'avenir. Il peut vous apporter des réponses plus appropriées que celles auxquelles vous aviez songé.

Le calme intérieur

Le calme intérieur est indispensable pour percevoir l'intuition. C'est seulement lorsque le « mental » est silencieux que vous pouvez entendre la voix de votre intuition.

La méditation ou la relaxation s'avère la façon la plus efficace d'atteindre cet espace de silence. Pour introduire cette pratique dans votre vie, je vous propose une approche graduelle. Commencez par un exercice de relaxation quotidien de cinq minutes, puis augmentez-en la durée au fur et à mesure que vous en sentirez les bienfaits.

Dans son livre *Guérir le stress, l'anxiété et la dépression sans médicaments ni psychanalyse,* David Servan-Schreiber propose l'exercice de la cohérence cardiaque mis au point par l'Institut HeartMath. Celui-ci permet d'entrer en résonance avec le **cœur** et de recevoir la guidance dont vous avez besoin à partir de cet organe.

Les recherches de l'Institut HeartMath ont démontré que le cœur possède un système indépendant du système nerveux et qui influence tous les autres systèmes du corps. Avec l'exercice de la cohérence cardiaque, tous les systèmes (incluant l'esprit et les émotions) entrent en alignement avec le cœur. Cela vous permet d'accéder à l'intelligence intuitive du cœur. J'ai recours à cet exercice dans mes ateliers sur l'intuition. Il est très efficace et facile à mettre en pratique. Il permet aussi de réduire le stress. Référez-vous à l'encadré suivant pour savoir comment l'exercer.

LA COHÉRENCE CARDIAQUE

- Installez-vous confortablement sur une chaise en posant les deux pieds sur le sol, ou encore les jambes croisées, dans la position du lotus.

- Fermez les yeux.

- Respirez profondément, en prenant soin de laisser votre souffle descendre jusque dans votre ventre, dans votre centre de pouvoir.

- Inspirez et expirez profondément à plusieurs reprises.

- Quand vous commencez à vous sentir plus calme, portez votre attention vers votre cœur et imaginez que vous respirez à travers lui.

- Respirez à travers votre cœur tout en continuant d'inspirer et d'expirer profondément. Un sentiment de bien-être commencera à s'installer en vous.

- Laissez ce bien-être se propager dans tout votre corps. Sentez-le.

- Quand vous serez parfaitement calme, amenez à votre conscience un souvenir, une scène, une image qui vous apporte un sentiment de bien-être, d'amour, de joie ou de compassion.

- Gardez cette scène, cette image ou ce souvenir dans votre esprit et continuez à respirer à travers le cœur.

- Sentez l'impression associée à cette image s'installer dans votre corps.

- Vous allez éprouver un calme profond, un sentiment de bien-être.

- Restez dans cet espace, ressentez ce calme intérieur et profitez de cette présence à vous-même.

- Quand vous sentirez que le calme est bien installé, vous serez en contact avec l'intelligence intuitive de votre cœur.

- Si vous souhaitez recourir à cette sagesse pour obtenir une réponse par rapport à un sujet précis, vous pouvez poser une question. Sinon, laissez venir à vous les images, les sensations, les mots.

  Exemples de questions :

  Quelle est la meilleure façon de relever tel défi ?

  Que dois-je savoir à propos de ce projet ?

- Quand vous avez obtenu la réponse souhaitée, remerciez votre intuition, revenez tranquillement et ouvrez les yeux.

- Notez les images, les mots, les sensations qui sont montés pendant l'exercice de relaxation.

Je vous encourage à utiliser cette technique quand vous êtes énervé, que vous ne voyez plus clair ou que vous avez besoin d'une réponse relativement à un sujet particulier. Elle est très puissante. Si vous désirez en savoir plus sur ses bienfaits, lisez l'extraordinaire ouvrage *L'intelligence intuitive du cœur*. Vous aurez l'occasion d'expérimenter la cohérence cardiaque dans le prochain exercice.

Le détachement et l'impartialité

Votre intuition vous permettra d'obtenir la réponse qu'il vous faut au moment opportun. Elle vous guidera exactement au moment où vous en aurez besoin.

Acceptez sans aucune idée préconçue les réponses qui viendront. Il importe de capter l'information sans porter de jugement et de l'accueillir sans aucune censure, sans l'analyser.

Assez de théorie ! Allons voir où vous en êtes dans votre processus de création.

Agir à partir de ses intuitions

Vous avez précisé ce que vous désirez, vous avez nettoyé votre aimant et vous l'avez activé. L'univers a reçu votre commande. Il est en train de « scanner » l'espace pour trouver un signal correspondant à la vibration de votre désir.

À ce stade-ci, vous devez faire preuve d'un certain détachement, tout en ressentant de l'enthousiasme et de l'anticipation à l'idée de voir votre désir réalisé. Comme la machine est en marche, ne soyez pas étonné de la façon dont peut se manifester votre intuition. Des exemples ?

- *Une pulsion*. Pendant l'écriture de ce livre, je ressens la pulsion de lire un ouvrage que j'ai dans ma bibliothèque depuis longtemps et que je n'ai pas encore ouvert. J'y trouve des réponses que je cherche.

- *Des idées inédites, originales pour faire avancer un projet*. Alexandre démarre une entreprise. Il a soudainement le flash de créer un groupe de sages qui l'aidera à la mettre sur pied. C'est un point de départ important pour lui.

- *L'envie de faire un geste*. Sébastien désire communiquer avec des gens qui ont la même préoccupation pour la santé que lui. Il se rend au magasin d'aliments naturels et aperçoit un magazine « vert ». Il se sent poussé à le prendre et à en regarder les dernières pages. La sensation est forte. À la fin du magazine, il trouve l'adresse d'un site de rencontre pour les gens intéressés par tout ce qui est « vert ». Il s'y inscrit et rencontre des personnes merveilleuses qui partagent sa passion. Il pousse plus loin ses connaissances en santé. Cette intuition lui est venue à la suite de son désir.

La personne qui manifeste aisément ses désirs porte attention à tout ce qui se passe en elle et autour d'elle afin de décoder l'aide qu'elle reçoit de l'univers. Elle accepte et croit que son désir va être exaucé. Elle maintient une attitude vigilante en tout temps. Elle reste éveillée aux messages qu'elle reçoit.

Allons vérifier les intuitions que vous avez reçues.

EXERCICE DE COACH

Vos intuitions

Celles déjà reçues

Réfléchissez aux intuitions, aux inspirations, aux idées brillantes mais peut-être farfelues que vous avez eues jusqu'à présent et que vous avez ignorées, jugées, négligées, etc. Écrivez-les dans votre journal de bord.

Prenez le temps de le faire. Je suis certaine que vous en avez eu. Ne négligez rien. Vous avez déjà reçu de l'information. Profitez-en.

À la suite de ces intuitions, que décidez-vous ? Quelle est l'action à faire maintenant ? Faites-la. Le succès de ce processus dépend de la mise en mouvement.

Celles à venir

Pour obtenir des informations sur le prochain geste à accomplir afin de réaliser votre désir, faites l'exercice de la cohérence cardiaque afin de vous connecter à votre sagesse intuitive. Référez-vous à la page 115 pour les instructions.

Lorsque vous aurez atteint un état de bien-être, posez-vous une des questions suivantes :

- Quel est le prochain pas pour avancer vers la réalisation de mon désir ?

- Qu'ai-je besoin de savoir pour avancer vers la réalisation de mon désir ?

- De quoi dois-je prendre conscience pour avancer vers la réalisation de mon désir ?

- Qu'est-ce qui manque pour que je puisse avancer vers la réalisation de mon désir ?

Choisissez la question selon ce qui, intuitivement, vous semble le plus pertinent pour vous. Attendez la réponse. Si vous n'en obtenez pas, posez à nouveau la question. Si aucune réponse ne vient, il est possible que le moment ne soit pas opportun ou qu'il n'y ait rien à faire.

Restez ouvert. Des réponses peuvent venir à n'importe quel moment.

Inscrivez vos réponses dans votre journal.

Décidez du prochain geste à faire. Agissez. Maintenant, sans tarder.

Votre processus de création est enclenché. Bravo !

● ● ●

À la suite de cet exercice, commencez à avancer à petits pas et observez ce qui se passe. Je recommande toujours la théorie des « petits pas ».

Chaque fois que vous ferez un pas, votre intuition vous guidera vers le prochain. Vous décidez de l'action à accomplir, **vous agissez** et vous vérifiez si le résultat vous rapproche de votre désir.

Je le répète, vous devez agir, vous mettre en action. Vous avez votre part à faire. Bougez. Soyez en mouvement. Attention à ne pas tomber dans la pensée magique. Vos pensées sont puissantes, elles ont la capacité de créer ce que vous voulez, mais vous devez agir. C'est impératif au succès de tout ce processus. Je sais, je me répète, mais cette distinction est très importante.

Je continue. Si le résultat correspond à la direction que vous avez choisie, suivez votre prochaine intuition. Décidez de votre action suivante. Continuez ainsi en vous arrêtant régulièrement pour vérifier où vous en êtes par rapport à la réalisation de votre désir.

Ce que vous recherchez, c'est la réalisation de l'essence du désir, pas nécessairement de sa forme. C'est pourquoi je vous ai demandé d'identifier le besoin sous-jacent au désir. Il est possible que la forme que vous avez identifiée ne soit pas la meilleure pour vous. Soyez ouvert s'il s'en présente une autre. L'essence de votre désir va se réaliser.

Soyez attentif à ce qui vous est fourni comme information. L'idée générale, lorsque vous avez recours à votre intuition, c'est d'aller puiser à une source plus grande que la logique pour déterminer ce qui est juste pour vous. Donc, gardez une grande ouverture quant à ce qui se manifestera à la suite de vos actions.

Avancez lentement mais sûrement. Interrogez régulièrement votre intuition pour évaluer où vous en êtes et quel est le prochain pas à faire.

Si l'essence du désir est là, poursuivez dans cette voie tout en vérifiant, à l'aide de nouvelles questions, quelles sont les prochaines étapes à franchir.

Voici ce qu'il faut faire si ce qui se manifeste n'est pas en harmonie avec l'essence de ce que vous désirez :

• Réévaluez votre désir. Est-ce un vrai désir du cœur ? Retournez à l'étape 1. Mon père disait toujours qu'un chien doit s'accroupir pour pouvoir sauter plus haut. C'est le cas ici. Un petit retour en arrière vous permettra de faire le point sur vos désirs.

• Vérifiez si vous n'avez pas de blocages dont vous devez vous défaire. Vous vous souvenez, j'ai émis le désir de rencontrer un amoureux, mais je craignais de manquer de temps pour moi ? C'est un homme marié qui s'est présenté sur ma route. J'avais besoin de nettoyer un peu mon aimant. Quelles sont vos pensées prédominantes, vos croyances, vos peurs ?

- Si votre désir a été modifié, reprenez l'exercice consistant à « faire comme si », à l'étape 3.

- Laissez les intuitions monter en vous.

Le cercle repart.

Travailler avec la force d'attraction demande de la patience et de la persévérance. Souvent, même si vous êtes impatient d'avoir des réponses claires, vous ne les obtenez pas immédiatement, car tout n'est pas encore en place. Ce n'est donc pas encore le moment de décider ou d'avancer.

Acceptez le fait que tout n'est pas entre vos mains. Une réponse vous attend, et elle vous sera donnée au moment opportun.

Surtout, ne vous découragez pas. En vous exerçant un peu, vous y arriverez. Commencez avec de petites choses afin de maîtriser la technique. Une fois que la roue se met en branle, tout baigne dans l'huile. Les choses se font presque toutes seules. Cela devient un réflexe naturel, que vous allez intégrer dans vos habitudes de vie.

La synchronicité

À la suite de ses recherches, Carl Gustav Jung, psychanalyste, a décrit la synchronicité comme suit : « L'occurrence simultanée de deux événements qui ne présentent pas de rapport de causalité, mais dont l'association prend un sens pour la personne qui les éprouve. »

Voici quelques exemples qui vous aideront à mieux comprendre.

- Vous recevez un appel de quelqu'un à qui vous étiez justement en train de penser.

- Vous rencontrez la personne parfaite pour faire avancer votre projet.

- Vous vous posez une question en entrant dans une librairie, vous prenez un livre « au hasard » et, en le feuilletant, vous trouvez un début de réponse.

La synchronicité, ce sont les bonnes personnes (ou les bonnes idées, les bons gestes, les bons objets) qui surviennent au bon moment, au bon endroit. J'appelle cela de « petits miracles ». Quand on raconte ce type d'événement, on dit : « Tu ne croiras pas ce qui m'est arrivé… » Cela nous éblouit, nous intrigue, nous bouleverse même parfois.

Comment la synchronicité fonctionne-t-elle ? Cela relève du mystère. Heureusement, on n'a pas besoin de tout comprendre. Ce que je sais, c'est que quand je passe une commande à l'univers, je reçois en retour plein de signes, d'idées, de personnes qui m'aident à avancer dans la direction de mon désir.

Les sceptiques seront confondus, dus, dus…

Les conditions qui favorisent le décodage des synchronismes

Un peu comme pour l'intuition, si vous voulez profiter des cadeaux que vous offre la synchronicité, vous devez adopter certaines attitudes intérieures.

La réceptivité et l'ouverture

Une attitude constante de réceptivité et d'ouverture permet de reconnaître les cadeaux que la vie vous envoie.

Comme je le disais en parlant de l'intuition, soyez prêt à recevoir des réponses complètement différentes de celles que vous attendiez ou espériez. Laissez l'univers vous surprendre. Il peut vous apporter des réponses ou des événements plus appropriés que ceux auxquels vous aviez pensé.

Après avoir demandé quelque chose, je m'amuse à observer très attentivement tout ce qui se passe autour de moi. J'essaie de voir sous quelle forme je vais recevoir ce dont j'ai besoin pour réaliser mon désir. Je considère cela comme un jeu semblable à Où est Charlie ?, je cherche.

La présence

Pour capter tout ce qui se passe, il faut être là, être attentif au moment présent. Si vous « n'êtes pas là », vous ne verrez pas le petit miracle qui est en train de se produire sous vos yeux.

La créativité

Les choses se dérouleront peut-être différemment de ce à quoi vous vous attendiez. Par conséquent, observez tout ce qui se passe avec un esprit très créatif, au cas où certains événements n'auraient pas tout à fait le sens que vous leur aviez attribué de prime abord. Tentez de voir ce qui se cache derrière. C'est un peu comme une chasse au trésor ou un rallye : cherchez, explorez.

Agir à partir de la synchronicité

Je tiens à réitérer une précision importante : vous allez avoir des intuitions, connaître la synchronicité ou recevoir de l'aide sous forme déguisée. Sachez reconnaître ces cadeaux de l'univers, mais surtout, **agissez !** Vous devez agir ! Action, action, action !

Rien de tout cela n'est miraculeux. Méfiez-vous de la pensée magique. Il faut l'éviter à tout prix. Beaucoup de gens entament ce processus, mais ils n'obtiennent pas de résultats parce qu'ils ne bougent pas. Ils me disent : « Oui, mais j'ai demandé ! » Et je leur réponds : « Oui, parfait. Qu'as-tu fait après ? » « Euh… Rien. »

Vous serez assisté, mais vous devez vous mettre en action, prendre des décisions, agir. Téléphonez à la personne à qui vous pensez depuis longtemps. Allez la voir. Osez ! Vous devez faire votre part.

● ● ● Je désire faire toiletter mes chats. Je sors la carte de Carmen, ma toiletteuse. Le lendemain, le téléphone sonne : c'est Carmen, qui m'annonce qu'elle part en voyage bientôt et que si je veux un rendez-vous, je dois le prendre maintenant.

Il n'est pas toujours nécessaire d'avoir des aspirations profondes. La force d'attraction fonctionne aussi pour les petits désirs.

● ● ● Florence, en arrêt de travail, a décidé de reprendre son activité professionnelle le 30 mars, trois jours semaine, et de générer des revenus X. Elle va luncher avec une amie de longue date, Denise, et lui raconte son histoire. Denise lui répond qu'un de ses copains cherche quelqu'un ayant exactement le genre d'expertise de Florence, à temps partiel. À la date prévue, celle-ci commence son nouvel emploi, qui présente toutes les conditions qu'elle souhaitait.

● ● ● Patrick vend son entreprise. Il envisage d'en démarrer une nouvelle, mais, après réflexion, il décide de travailler d'abord à forfait pendant un moment. Il en parle à quelques personnes. La semaine suivante, il reçoit un appel : on lui offre un contrat de six mois, parfait pour lui.

● ● ●   Je ressens le désir de chanter à nouveau dans une chorale. Je ne sais pas trop comment m'y prendre pour en trouver une. Je vais à un lancement de livre, où je rencontre Johanne, qui fait partie d'une chorale. Je lui parle de mon désir. Elle me dit que, justement, son groupe a besoin de choristes. La semaine suivante, je recommence à chanter.

● ● ●   Après mon année sabbatique, je réfléchis à ce que je veux faire. Je désire contribuer au bien-être des gens. Je reçois un appel d'une amie qui est « chasseuse de têtes » et lui parle de mon désir de faire du coaching. Elle me donne les noms de deux personnes avec qui communiquer. Je vais sur Internet pour les trouver et, ce faisant, je tombe sur une école de coaching au Québec. La formation commence la semaine suivante. Je m'inscris. Un an plus tard, je suis coach certifiée. Une nouvelle carrière commence pour moi.

À votre tour maintenant !

EXERCICE DE COACH

La synchronicité

Celle qui s'est déjà manifestée

Réfléchissez aux synchronismes que vous avez déjà vécus, que vous avez ignorés, jugés, négligés, et qui pourtant contenaient de l'information ou de l'aide pour réaliser votre désir. Écrivez-les dans votre journal de bord.

Prenez le temps de le faire. Je suis certaine que vous en avez vécu. Ne négligez rien. Vous avez déjà reçu de l'information. Profitez-en.

À partir de cette information, décidez des gestes à faire. Agissez maintenant.

Celle à venir

Soyez alerte. Restez ouvert.

Si un événement fortuit se produit et que vous n'arrivez pas à l'interpréter sur le moment, écrivez-le. Sa signification peut devenir plus claire avec le temps.

Ne laissez rien passer. Vous êtes assisté par l'univers.

À la suite d'événements marqués par la synchronicité, quel pas devez-vous franchir pour vous rapprocher de votre désir ? Écrivez-le.

Agissez maintenant. Votre désir vous attend. Il est là, à l'intérieur du camion, sur le quai de chargement.

● ● ●

Bravo ! Encore un pas de franchi. Vous êtes en bonne voie de réaliser votre désir.

ON FAIT LE POINT

Vous avez franchi ces étapes :

• Vous avez défini clairement vos désirs.

• Vous avez éliminé ce qui pouvait nuire à leur réalisation.

• Vous avez activé leur énergie.

• Vous avez suivi vos intuitions et saisi au passage les événements marqués par la synchronicité.

À ce stade-ci du processus, des événements sont survenus pour vous rapprocher de votre désir. Soyez attentif. Maintenez votre enthousiasme et attendez-vous à recevoir d'autres informations !

Passons à la dernière étape, celle de l'accession au désir.

Étape 5

Accéder au désir

>> *La vie rétrécit ou se déploie selon le courage dont on fait preuve.* >>
Barbara Winter, auteure américaine

L'ÉTAPE EN BREF

Au fil de cette étape, vous accepterez de dire oui à la vie et d'entrer dans sa danse. Vous pratiquerez la gratitude, un must pour donner du pouvoir à vos pensées et amplifier votre puissance d'attraction.

Nous voici à la dernière étape. Avant tout, pour pouvoir accéder à votre désir, vous devez, je dis bien **devez**, dire oui à la vie, plonger dans son tourbillon. Vous devez accepter ses joies, ses peines, ses leçons et ses succès. C'est ça, être vivant.

Dire oui à la vie

Dans mes conférences sur le pouvoir d'attraction, je demande aux participants d'écrire un de leurs désirs afin qu'ils puissent effectuer quelques exercices. J'ai constaté qu'ils n'osent pas demander. Ils ont peur d'être déçus ou qu'on dise d'eux qu'ils sont égoïstes. Est-ce votre cas ?

Un jour, une femme m'a posé la question suivante : « Est-ce que je peux demander quelque chose pour quelqu'un d'autre ? » Je lui ai répondu : « Non. Aujourd'hui, ce sont vos propres désirs qui comptent. » Elle a tenté de faire l'exercice et s'est mise à pleurer. Elle a pris conscience du fait qu'elle ne demandait jamais rien pour elle-même, si bien qu'elle ne savait pas ce qu'elle voulait... Elle n'avait jamais réfléchi à cela.

C'est le temps de faire les choses autrement, de dessiner votre vie et de demander ce que vous désirez.

Dites oui à la vie. Dites oui au bonheur. Engagez-vous pleinement.

Dans le chapitre 1, je vous ai invité à réfléchir aux conséquences du fait de ne pas réaliser vos désirs. Je me permets de vous proposer à nouveau le même exercice. Comme je le dis à mes clients, je vais pousser un peu la machine.

Si vous n'avez pas osé rêver, refaites l'exercice de réflexion. C'est important. C'est de votre vie qu'il est question.

Si vous avez osé, c'est super. Allez explorer la section suivante sur la gratitude.

QUESTIONS DE COACH ● ● ●

- Qu'aimeriez-vous créer dans votre vie ? Sélectionnez trois désirs.

- Croyez-vous être en mesure de réaliser ces désirs ? Oui ou non ? Pour quelles raisons ?

- Êtes-vous prêt à essayer ? Oui ou non ?

  - Si la réponse est oui, allez tout de suite à l'étape 1 pour faire la démarche. Votre vie est là, elle vous attend.

  - Si la réponse est non, quelles seraient, pour vous, les conséquences de mourir sans avoir réalisé ces désirs ? (Oui, c'est un peu dramatique, mais à ce stade-ci, c'est vraiment nécessaire ! Il faut prendre les grands moyens !) Allez lire la citation de Marianne Williamson, à la toute fin du livre, puis revenez conclure cette réflexion.

- Êtes-vous prêt à vivre avec ces conséquences ? Oui ou non ? Pourquoi ?

- Comment allez-vous supporter ces conséquences ?

● ● ●

Plus vous réaliserez vos rêves, plus vous encouragerez les gens qui vous entourent à faire de même. Vous deviendrez un modèle, une source d'inspiration pour les autres.

La gratitude

Je vous parle encore de la gratitude. Selon moi, c'est l'élément le plus important pour vous assurer d'émettre constamment une vibration positive. Constater tout ce que vous avez déjà est un exercice extrêmement puissant.

Nous qui vivons en Amérique du Nord, nous avons beaucoup de raisons d'être reconnaissants. Nous avons un toit au-dessus de nos têtes, de la nourriture, des livres, des écoles, des hôpitaux, des professionnels de la santé qualifiés. Nous avons accès au téléphone, à l'ordinateur. Vous voulez que je continue ?

De quoi jouissez-vous dans votre vie ? Vous profitez déjà de tout ce que je viens de nommer. Que possédez-vous d'autre ?

En exprimant de la gratitude, vous dites merci à l'univers et vous vous ouvrez pour recevoir encore davantage. **La gratitude est essentielle, fondamentale.**

La gratitude est un état d'esprit que nous devons absolument cultiver pour attirer des événements heureux dans notre vie.

Hier soir, je lisais le livre *Évidences*, du docteur Emmet Fox. Il parlait des propos qu'on tient toute la journée, en signalant à quel point ils sont négatifs. Il proposait de s'enregistrer, puis de s'écouter avant de se mettre au lit. Je suis certaine qu'on serait embarrassé de s'entendre.

Pour maintenir une attitude de gratitude, j'ai recours aux moyens suivants. D'abord, je consacre quelques minutes à la rédaction chaque matin, pendant lesquelles je dresse la liste de tout ce que je suis et de tout ce que j'ai. Ensuite, je dis régulièrement à qui veut bien l'entendre à quel point j'aime ma vie. Je me considère privilégiée. Je déclare à ma maison que je l'aime. Ne répétez pas cela, on va m'enfermer, mais je la flatte parfois en passant pour la remercier du bonheur que j'ai de vivre dans ses murs. Je sais, je sais…

Mes chats. Ah, mes chats ! Quand je commence à parler d'eux, je ne peux plus m'arrêter. J'en ai quatre et j'en suis totalement amoureuse. Ils le savent et me le rendent bien. Justement, ma « chouchoune », Catou, est couchée sur mon lit pendant que j'écris ces pages. C'est le bonheur total ! C'est dimanche matin, un moment de la semaine dont j'adore l'énergie tranquille. Et vous ? J'écris présentement dans la tranquillité de ma chambre, dans mon lit. Jamais je n'aurais pensé connaître une vie aussi merveilleuse, qui me convient autant. C'est le bonheur, vraiment !

J'éprouve de la gratitude, une tonne de gratitude. Chaque fois que quelque chose se passe bien, je remercie l'univers. Je suis reconnaissante pour les petits plaisirs de la vie, comme de trouver les muffins d'épeautre que j'aime, de recevoir un sourire de la caissière, de terminer un projet à temps, etc. Je ressens constamment de la gratitude. Je sais que je ne suis pas seule à créer tout cela et je donne du *feedback* positif à mes « cocréateurs ».

Je vous encourage à remercier l'univers chaque fois que vous avez une intuition, que vous constatez une manifestation de synchronicité qui fait avancer votre projet. Vous allez en connaître beaucoup d'autres, c'est promis.

À votre tour maintenant.

EXERCICE DE COACH

La gratitude

Inscrivez vos réflexions dans votre journal de bord.

• Qu'y a-t-il de beau dans votre vie présentement ? Faites une longue, longue liste de tout ce que vous avez.

Comment vous sentez-vous à la suite de cette réflexion? Diriez-vous que vous êtes dans l'abondance? Il ne s'agit pas seulement de prospérité financière, mais d'abondance sur tous les plans (amour, amitié, santé, plaisir, beauté, sécurité, etc.).

- Si vous réfléchissez à ce que vous avez vécu la semaine dernière, pourquoi exprimeriez-vous de la gratitude?

Je vous propose quelques exemples: le sourire d'un enfant, un commis attentionné à l'épicerie, une collègue qui nous aide à terminer un travail pour qu'on puisse partir plus tôt, une auto qui fonctionne bien, des pneus d'hiver qui sont encore bons pour une année, etc.

- Quel sera votre rituel de gratitude? À quelle fréquence le pratiquerez-vous? Soyez précis.

Exemple: j'écrirai tous les soirs mes raisons d'être reconnaissant pour ce que j'ai vécu durant la journée.

Engagez-vous à maintenir ce rituel. Il va changer votre vie. C'est garanti. Il agira pour vous comme une paire de lunettes qui vous donnera une nouvelle vision du monde et de votre vie.

● ● ●

ON FAIT LE POINT

- Vous avez clairement défini vos désirs.

- Vous avez éliminé ce qui pouvait nuire à leur réalisation.

- Vous avez activé leur énergie.

- Vous avez suivi vos intuitions et la synchronicité.

- Vous avez osé dire oui à la vie.

Je vous félicite! Vous avez franchi toutes les étapes. Vous êtes en voie de réaliser la vie que vous méritez, la grande vie.

Pour aller plus loin

Avant de conclure, j'aimerais vous inviter à réfléchir au sens que vous aimeriez donner à votre existence. Pour ce faire, je vous propose d'utiliser l'intention, une force méconnue, mais ô combien puissante.

L'intention n'est pas indispensable à la réalisation des désirs que vous avez formulés pendant votre exploration. Cependant, elle leur ajoutera de la puissance et surtout du sens.

Il est possible que, pour vous, le moment ne soit pas propice à cette réflexion. Respectez ce que vous ressentez.

L'intention, un pouvoir inexploité

Si vous souhaitez créer une vie qui vous apporte du bonheur, qui vous fait connaître une satisfaction intense et qui correspond à vos aspirations profondes, vous pouvez avoir recours à un outil très puissant, qui consiste à acquérir une vision globale de votre vie. Certains auteurs parlent d'une « mission de vie », mais, personnellement, cette expression m'intimide un peu.

Je vous propose plutôt de définir ce que vous souhaitez vous apporter à vous-même et ce que vous souhaitez offrir aux autres afin de ressentir du bien-être. En fait, il s'agit de définir comment vous souhaitez mettre vos dons et vos talents à contribution dans votre vie. Cette réflexion donnera du sens à votre existence. Elle vous aidera aussi à considérer les événements de votre vie dans une perspective élargie.

J'aime me servir de l'intention pour formuler cette vision. J'utilise donc l'expression **intention de vie**. Ce concept maintient le cap sur ce qui est important pour vous. Grâce à l'intention de vie, vos intuitions et vos actions vous amèneront plus rapidement et plus directement dans la direction désirée. Cela vous aidera aussi à évaluer la pertinence de vos désirs en fonction de ce que vous souhaitez vivre et créer dans votre vie.

L'intention, c'est l'essence de ce que vous voulez créer.

L'intention vous porte, vous aide à vous élancer vers votre but. Elle génère une énergie qui vous met en mouvement vers ce que vous désirez. Elle vous aide à centrer cette énergie sur ce qui est important pour vous. L'intention permet de centrer sa pensée. **L'énergie va là où se concentre la pensée.**

L'intention, c'est comme une toile de fond, un filet de sécurité. Elle vous soutient dans ce que vous voulez créer. Elle vous maintient dans la bonne voie. Elle vous accompagne dans chacune de vos actions.

L'intention diffère du désir. Elle sera énoncée davantage en termes d'essence que de forme précise ou d'objectif. Pour cette raison, elle porte une vibration très puissante.

Par exemple, si vous avez des difficultés de communication avec quelqu'un, votre objectif sera sans doute d'améliorer la situation. Votre intention, cependant, peut varier. Elle peut être de créer de l'harmonie entre vous, de connaître la vérité au sujet du lien qui vous unit à cette personne, d'être complice avec elle, d'être vrai dans cette relation, d'éprouver de la joie, etc. Chacune de ces intentions porte une énergie très spécifique et créera un résultat différent, selon ce que vous choisissez.

J'utilise régulièrement le pouvoir de l'intention. Je m'en sers pour créer un projet, une relation ou même une soirée entre amis. Avant d'entreprendre un projet, je décide de l'intention que je veux y mettre, de son essence. En restant branchée sur cette essence, je me réaligne constamment sur ce que je veux créer.

Voici des exemples.

● ● ●　Il y a quelques années, j'ai négocié une entente avec un concurrent. Mon intention était simple et se résumait ainsi : créer l'union. Cela a donné une direction à la négociation et m'a aidée à maintenir le cap. Quand je me butais à une difficulté, je me demandais si, en refusant ou en acceptant la proposition qui posait problème, je travaillais dans le sens de mon intention de départ. J'ai négocié une des meilleures ententes que la compagnie ait connues. De plus, j'ai entretenu une relation harmonieuse avec mon interlocuteur. Mon intention était claire.

● ● ●　Lorsque je prépare un souper entre amis, si mon intention est de rendre hommage à mes invités, tout ce que j'entreprends sera au service de cette intention : les plats que je prépare, les chandelles que j'allume, la musique que je choisis... Quand je passe l'aspirateur (tâche que je déteste), je demande à ma maison d'accueillir mes amis afin de les honorer. Je garde le sourire.

Si mon intention est qu'on s'amuse, mes gestes, porteront une autre énergie. La musique, le menu, le vin, tout sera différent.

Mes soirées sont toujours réussies. Je crois profondément que c'est grâce à l'intention que j'y mets.

● ● ● Mon acupuntrice travaille elle aussi avec l'intention. Après avoir fait son évaluation, elle décide du traitement requis. Lorsqu'elle insère les aiguilles, elle le fait avec une intention liée à l'amélioration du bien-être de son client, selon ce qu'elle a identifié. Ses traitements sont très efficaces.

L'intention, c'est l'énergie qui dirigera vos actions et qui permettra le déploiement de l'essence de ce que vous désirez créer.

Votre intention de vie

Utilisez l'intention pour créer votre vision personnelle. Avant de vous laisser faire l'exercice pour vous-même, je partage ma vision avec vous.

● ● ● Mon intention de vie est la suivante : je partage mon essence et mes connaissances afin d'inspirer les hommes et les femmes à vivre en exploitant toute leur puissance et en étant en harmonie avec eux-mêmes.

Cette intention guide tous mes gestes. Je l'utilise comme point de référence pour rester centrée sur ce que je veux créer. Je décide en fonction d'elle.

● ● ● Dans un de mes ateliers sur l'intuition, une participante a été fascinée par le concept de l'intention de vie. Elle a clari-fié la sienne et a été surprise de constater qu'un des éléments importants de son intention est la joie. À la suite de cette prise de conscience, elle a fait des changements dans sa vie.

Quand elle perd sa joie, elle prend le temps de regarder ce qui se passe en elle et de faire des réajustements au besoin. Son énergie et son attention sont maintenant centrées sur ce qu'elle veut créer. La joie est encore plus présente dans sa vie.

Si vous clarifiez votre intention et que vous l'installez dans votre corps en la sentant profondément, son essence commencera déjà à se manifester dans le monde physique.

Dès lors, vous suivrez tranquillement, pas à pas, les intuitions qui émergeront et accomplirez des gestes qui vous orienteront vers cette essence que vous souhaitez manifester. Je vous encourage à prendre un moment pour réfléchir à votre intention de vie.

Cet exercice est puissant. Votre intention de vie vous servira de toile de fond pour créer votre existence. Si vous choisissez de mener cette réflexion à son terme, il serait intéressant d'évaluer si les désirs que vous avez définis auparavant sont en harmonie avec votre intention de vie.

Votre intention se modifiera sans doute avec le temps, au fur et à mesure que vous acquerrez de l'expérience et de la maturité. Ne soyez pas surpris de refaire cet exercice dans un an et de découvrir que vous avez évolué par rapport à l'essence de ce que vous désirez créer dans votre vie.

J'ai établi un rituel que je pratique au début de chaque année pour faire le point sur ma vie. Je fais le bilan de ce que j'ai accompli par rapport à mon intention de vie et à mes désirs de l'année. Après ce constat, j'ajuste mon intention et je détermine de nouveaux désirs pour l'année qui vient.

Cet exercice me procure beaucoup de sens, de puissance et de justesse. Ma vie me convient totalement. Je suis heureuse, plus heureuse que je ne l'ai jamais été.

QUESTIONS DE COACH ● ● ●

Quelle est votre vision, votre intention de vie? Qu'est-ce qui vous anime? Que souhaitez-vous mettre à contribution?

Pour vous inspirer, voici cinq énoncés possibles. Rappelez-vous qu'il en existe une infinité.

- Je mets mon talent de communicatrice au service des gens qui m'entourent pour créer la joie et le bonheur dans leur vie.

- Je contribue à créer un monde plus équitable.

- Je bâtis des entreprises qui permettent aux gens de diverses communautés d'améliorer leur qualité de vie.

- Je suis un agent de changement pour la protection de l'environnement.

- J'accompagne les gens dans leur éveil personnel.

Note: Pour vous aider, référez-vous au *Guide pratique pour découvrir et formuler votre intention,* ci-dessous.

● ● ●

GUIDE PRATIQUE POUR DÉCOUVRIR ET FORMULER VOTRE INTENTION

Pour la découvrir

- Recueillez-vous, puis entrez en communion avec le désir profond que vous entretenez pour votre vie, dans sa globalité. Laissez-le parler.

  Quelle est l'essence de ce désir?

Quel est le besoin qui est à sa source ?

Comment veut-il se manifester ?

Que veut-il sentir, expérimenter ?

• Laissez-vous guider par votre voix intérieure. Laissez les mots monter à la surface de votre conscience et prendre forme dans votre esprit, puis se déposer doucement sur votre papier.

• Relisez ce que vous avez écrit.

Comment vous sentez-vous par rapport à cette intention de vie ?

Est-ce vraiment cela que vous désirez créer, vivre ?

Est-ce en accord avec vous, avec votre essence ?

• Imaginez que cette vision est déjà réalisée dans votre vie.

Comment vous sentez-vous ?

Est-ce le sentiment que vous désiriez éprouver ?

• Changez-la, modifiez-la jusqu'à ce que la phrase parfaite vibre dans votre corps et vous apporte la satisfaction recherchée.

Pour la formuler

• Écrivez votre intention le plus simplement possible, avec des mots qui vous parlent, qui résonnent en vous.

• Favorisez l'utilisation du je, du temps présent. L'énoncé peut inclure des mots d'action. Exprimez l'intention comme si elle était déjà là, déjà réalisée. Par exemple, au lieu d'écrire : « Vivre une vie qui comble tous mes besoins », commencez par : « Je vis... » Ou encore, amorcez votre énoncé par « Je communique » plutôt que par « Communiquer... »

• L'intention exprime avant tout l'essence de ce que vous voulez créer. Évitez d'utiliser une forme, un résultat trop précis ; permettez aux énergies du moment présent d'interagir et de créer ce qui est en harmonie avec vous.

Combien de fois les événements se sont-ils déroulés différemment de ce que vous aviez imaginé, parfois au-delà même de vos espérances ? Vous ne disposez pas toujours de toute l'information pour savoir de façon précise ce qui vous convient le mieux. L'univers, lui, possède cette information.

Donc, évitez les phrases du style : « J'écris des livres pour partager ce que je sais. » Optez plutôt pour : « J'exprime ce que je sais avec facilité, fluidité et plaisir, afin de partager mes connaissances et d'inspirer les gens. » Il est possible que l'écriture ne soit pas la meilleure forme d'expression pour vous, mais que vous soyez un conférencier extraordinaire.

Dans l'expression de l'intention, laissez un espace pour que l'univers puisse faire son œuvre et vous offrir quelque chose d'encore mieux que ce que vous imaginiez.

Privilégiez l'essence plutôt que la forme

Laissez de la place aux miracles ! Laissez la vie vous surprendre.

Vous saurez que vous avez trouvé l'intention de vie qui vous convient quand, en la lisant, vous éprouverez un sentiment de justesse et de bien-être. À l'intérieur de vous, tout sera aligné. Vous vous direz : « Oui ! C'est ça que je veux. » Vous aurez un grand sentiment de satisfaction, d'enthousiasme et d'anticipation à l'idée d'orienter ainsi votre vie.

Vous ressentirez aussi de la joie à la pensée de réaliser cette intention dans votre vie.

Le but de votre vie, c'est la joie.

Ne perdez jamais cela de vue.

Le mot de la fin

J'espère que ce livre vous a incité à l'action. C'est le désir de mon cœur.

Je vous souhaite d'avoir pris conscience de votre immense puissance. Je vous encourage à rêver l'impossible. Je vous dis : « Osez demander ce que vous désirez. L'univers est prêt à recevoir votre commande. »

Une vie passionnante vous attend !

J'espère vous croiser un jour et vous entendre raconter comment vous avez réalisé votre désir le plus cher.

Soyez heureux. C'est votre droit le plus fondamental. Vous le méritez pleinement.

Je vous laisse sur cette citation inspirante et tellement vraie de Marianne Williamson, une femme de cœur qui ose aller au bout d'elle-même.

« *Ce que nous craignons le plus au monde, ce n'est pas notre incompétence, mais notre puissance incommensurable. Nous redoutons bien plus notre éclat que notre côté sombre.*

Nous nous demandons : " Puis-je être brillant, splendide, doué, fabuleux ?" Nous avons tort de nous poser cette question. Nous sommes des enfants de Dieu. Il n'y a rien de noble à nous diminuer dans l'espoir d'éviter à notre entourage de se sentir petit. Une telle attitude ne sert à rien ni à personne. Nous sommes destinés à rayonner, au même titre que les enfants. Nous sommes sur Terre pour incarner la gloire de Dieu qui vit en chacun de nous – et pas seulement dans le cœur de quelques élus.

En répandant notre propre lumière, nous encourageons inconsciemment les autres à nous imiter. En nous libérant de notre propre peur, nous libérons aussi les autres. »

Marianne Williamson, auteure américaine,
A Return to Love

Références

La force d'attraction

ABRAHAM. *Le pouvoir de créer,* Ariane Éditions inc., 2004, 224 p.

ARNTZ, William, Betsy CHASSE et Mark VICENTE. *What the Bleep Do We Know!?*, Health Communications Inc., 2005, 276 p.

BYRNE, Rhonda. *The Secret*, Beyond Words Publishing, 2006, 216 p. (Pour visionner le film *The Secret,* visitez www.thesecret.tv)

GRABHORN, Lynn. *Excusez-moi, mais votre vie vous attend*, Éditions AdA inc., 2004, 350 p.

HICKS, Esther et Jerry. *Créateurs d'avant-garde : demandez et vous recevrez,* Ariane Éditions inc., 2006, 352 p.

HICKS, Esther et Jerry. *The Amazing Power of Deliberate Intent,* Hay House, 2006, 304 p.

LOSIER, Michael. www.lawofattractionbook.com.

MORENCY, Pierre. *Demandez et vous recevrez*, Les Éditions Transcontinental, 2002, 200 p.

MORENCY, Pierre. *Les masques tombent*, Les Éditions Transcontinental, 2003, 192 p.

VITALE, Joe. *Le facteur d'attraction*, Un monde différent, 2006, 288 p.

L'intuition

BAUDOUIN, Bernard. *Comment développer son intuition*, Éditions de Vecchi, 2003, 155 p.

CHOQUETTE, Sonia. *À l'écoute de vos vibrations,* AdA, 2006, 327 p.

CRAWLEY, Hans. *Comment développer son intuition : une technique et des exercices éprouvés,* Les Éditions Quebecor, 2002, 160 p.

DAY, Laura. *Guide pratique de l'intuition*, Vivez Soleil, 1998, 224 p.

EINSTEIN, Patricia. *The Path to Inner Wisdom : How to Discover and Use Your Greatest Natural Resource*, Vega, 2002, 256 p.

GALDWELL, Malcolm. *Intuition : comment réfléchir sans y penser*, Les Éditions Transcontinental, 2005, 252 p.

GAWAIN, Shakti. *Comment développer son intuition : guide pratique de la vie quotidienne*, Guy Trédaniel Éditeur, 2001, 158 p.

GEE, Judee. *Comment développer votre intuition : l'éveil de votre être intérieur,* Dangles, 1999, 276 p.

PIERCE, Penney. *L'intuition : une voix qui ne trompe pas*, Le jour éditeur, 1998, 392 p.

SANDERS, Pete A. *You Are Psychic !,* Fireside, 1999, 288 p.

SCHULZ, Mona Lisa. *Le réveil de l'intuition*, AdA, 2003, 395 p.

WALTERS, J. Donald. *Intuition : savoir reconnaître sa voix intérieure et lui faire confiance*, Un monde différent, 2004, 159 p.

Sujets connexes

CAMERON, Julia. *Libérez votre créativité : osez dire oui à la vie !,* Dangles, 1999, 310 p.

CHILDRE, Doc et Howard MARTIN. *L'intelligence intuitive du cœur : la solution HeartMath*, Ariane Éditions, 2005, 415 p.

FOX, Emmet. *Évidences : les lois de la vie et leur application*, Astra, 1988, 222 p.

FOX, Emmet. *Le sermon sur la montagne : la clef du succès dans la vie*, Astra, 1989, 157 p.

LASZLO, Erwin. *Science et champ akashique*, Ariane Éditions, 2005, 284 p.

McTAGGART, Lynne. *L'univers informé : la quête de la science pour comprendre le champ de la cohérence universelle*, Ariane Éditions, 2005, 311 p.

SERVAN-SCHREIBER, David. *Guérir le stress, l'anxiété et la dépression sans médicaments ni psychanalyse*, Robert Laffont, 2003, 301 p.